Für Mutti, Vati und Mike

Basiswissen

Englisch

Verben

Sylvia Goulding

Berlitz Publishing Company, Inc.

Princeton   Mexico City   Dublin   Eschborn   Singapore

Englisch: Verben

Die Autorin:

Sylvia Goulding wurde in Berlin geboren und hat an der Universität Köln Englische Linguistik studiert. Seit 1978 lebt sie in London und ist dort als Journalistin und Redakteurin tätig.

Für ihre Unterstützung und Beratung möchte ich mich ganz besonders bedanken bei: Karl-Peter Frenger; Barbara Rae und Ursula Wulfekamp; Christopher Wightwick und Steve Williams, ohne die das Buch nie zustande gekommen wäre; sowie meinem Mann Mike für seine Geduld.

Der Herausgeber der Reihe:

Christopher Wightwick hat Großbritannien beim Fremdsprachenprojekt des Europarates vertreten und ist ehemaliger Oberinspektor für Neuere Sprachen im englischen Schulwesen.

1. Ausgabe 1994, 5. Auflage 1998
Printed in Spain

INHALT

Wie man dieses Buch benutzt

Anliegen dieses Buchs ist es, eine vollständige Beschreibung des englischen Verbsystems für all diejenigen zu liefern, die die englische Sprache erlernen und sie aktiv anwenden. Es enthält folgende Informationen:

• eine Beschreibung des Verbsystems;
• die volle Konjugation von 56 häufig vorkommenden Verben;
• ein komplettes Sachregister;
• ein Verbregister mit über 2500 Verben und ihrer deutschen Bedeutung.

Ein wichtiges Merkmal des Buchs: Im Teil »Englische Musterverben« sind Beispiele angegeben, die viele der Verben im täglichen Sprachgebrauch zeigen.

ENGLISCHE VERBEN: Funktionen und Gebrauch

Dieser Teil beschreibt die Verbfunktionen im allgemeinen. Sie finden Wissenswertes über transitive und intransitive Verben, über den Gebrauch der Hilfsverben und der Tempora, über die Verlaufsformen und das Passiv.

ENGLISCHE MUSTERVERBEN

Dieser Abschnitt enthält die volle Konjugation eines regelmäßigen Verbs und der drei wichtigsten Hilfsverben in allen Personen, Tempus- und Aspektformen, sowie die volle Konjugation im Passiv. Anschließend folgen 45 Muster häufig vorkommender unregelmäßiger Verben.

Jeder Eintrag enthält eine Auswahl der Verben, die dem gleichen Muster des jeweils aufgeführten Verbs folgen sowie eine Auswahl der Verben, die zwar ähnlich klingen, aber nicht demselben Muster folgen. Weiterhin finden Sie Beispielsätze für den Gebrauch der Musterverben zur Veranschaulichung der verschiedenen Tempusformen sowie der zahlreichen unterschiedlichen Bedeutungen und idiomatischen Ausdrücke.

SACHREGISTER

Im Sachregister sind die in diesem Buch gebrauchten wichtigsten grammatikalischen Themen angegeben.

VERBREGISTER

Bei jedem Verb ist angegeben, ob es transitiv oder intransitiv ist und welche Präposition es bestimmt. Für die unregelmäßigen Verben werden die Formen des Präteritum und des Partizip Perfekt genannt. Aufgeführt sind die wichtigsten und aktuellsten Verbformen mit ihrer deutschen Übersetzung. Gelegentlich werden Zweitbedeutungen in einem kurzen Satz veranschaulicht.

WIE SIE DIE GEWÜNSCHTE INFORMATION FINDEN

Wenn Sie die Form, Bedeutung oder den Gebrauch eines Verbs nachprüfen wollen, schlagen Sie als erstes das Verb im Register nach, wo Sie eine Reihe von Informationen finden:

• ob das Verb transitiv oder intransitiv ist;
• die Präposition, die normalerweise nach dem Verb steht;
• die Formen des Präteritum und des Partizip Perfekt für alle unregelmäßigen Verben;
• die deutsche Bedeutung des Verbs: bei den meisten Verben sind mehrere wichtige Bedeutungen angegeben;
• ein kurzer Satz bei einigen Verben mit einer wichtigen Zweitbedeutung;
• eine Zahl, die anzeigt, unter welchem Musterverb Sie weitere Informationen über die Konjugation dieses Verbs oder ähnlicher Verben finden.

Wenn Sie weitere Informationen über die Form oder den Gebrauch des Verbs benötigen, schlagen Sie die angegebene Musterverb-Nummer auf. Auf dieser Seite finden Sie:

• Informationen über das Konjugationsmuster;
• die volle Konjugation des Präsens;
• die 1. Person Singular aller übrigen Tempora des Aktiv sowie der Verlaufsformen;
• eine Liste anderer Verben, die demselben Muster folgen;
• eine Liste anderer Verben, die nicht demselben Muster folgen;
• Kurzdialoge und Sätze, die einige der unterschiedlichen Anwendungsbereiche dieser Verben in den verschiedenen Tempora illustrieren.

Weitere Informationen darüber, wie das Verbsystem funktioniert, finden Sie in Teil A »Englische Verben: Funktionen und Gebrauch«.

A

ENGLISCHE VERBEN: FUNKTIONEN UND GEBRAUCH

Wozu Man Verben braucht

➤ [Für eine ausführlichere Behandlung der Verben ➤*Basiswissen Englisch: Grammatik*, Teil C.]

Verben sind praktisch der wichtigste Satzbestandteil. Man braucht sie, um über Handlungen, Ereignisse und Zustände zu reden. Mit Hilfe von Verben kann man sich auf bestimmte Zeiten beziehen und sogar ausdrücken, welche Einstellung der Sprecher zu dem hat, was er sagt.

Mike *was reading* the paper when he suddenly *heard* a noise. With a creak, the doorknob *turned* and the door *was opened*. He *didn't know* what to *do*. It *could be* a burglar, *couldn't it*? *Should* he *shout* or *keep* quiet? In the end, he *had* to *check*. He *looked* around the corner – and there *stood* all his friends *singing* 'Happy Birthday'!	Mike *war dabei*, die Zeitung *zu lesen*, als er plötzlich ein Geräusch *hörte*. Knarrend *drehte sich* der Türknopf, und die Tür *wurde geöffnet*. Er *wußte nicht*, was er *tun sollte*. Es *könnte ja* ein Einbrecher *sein*. *Sollte* er *schreien* oder still *bleiben*? Schließlich *mußte* er *nachsehen*. Er *schaute* um die Ecke – und da *standen* all seine Freunde und *sangen* »Happy Birthday«!

② Vollverben: wie sie aussehen und welche Rolle sie spielen

2a Wie sie aussehen

Vollverben können selbständig im Satz stehen. Sie haben mehrere Formen, und zusammen mit den Hilfsverben können sie sich auf alle Zeiten beziehen. Deswegen nennt man sie Vollverben.

(i) Regelmäßige Vollverben

➤ **[➤Musterverben 1 und 6 bis 11]**

Die regelmäßigen Vollverben haben außer der Grundform nur drei regelmäßige Formen: Sie bilden die dritte Person Singular im Präsens durch Anhängen von **-s**, das Präteritum und das Partizip Perfekt durch Anhängen von **-ed**, das Partizip Präsens und damit alle Verlaufsformen durch Anhängen von **-ing**.

Die Klasse der Vollverben ist offen, d.h., daß ständig neue Verben in die Sprache aufgenommen werden. Sie können von anderen Wortklassen abgeleitet werden oder vollkommen neu sein. Alle neu eingeführten Verben (z.B. **biodegrade** »biologisch abbauen«, **repaginate** »neu paginieren«, **progress** »weiterverfolgen«) sind regelmäßig.

The postman *called* and *delivered* a large parcel. I *opened* it, and *discovered* a box which *contained* smaller packets. They were all *wrapped* in paper, but one *smelled* of perfume, another *looked* like a book, and the third one *seemed* to be a CD.	Der Briefträger *kam* und *brachte* ein großes Paket. Ich *öffnete* es und *entdeckte* eine Schachtel, die kleinere Pakete *enthielt*. Sie waren alle *eingewickelt*, aber eines *roch* nach Parfüm, ein anderes *sah* aus wie ein Buch, und das dritte *schien* eine CD zu sein.

(ii) Unregelmäßige Vollverben

➤ **[➤ Musterverben 12 bis 56]**

Die unregelmäßigen Vollverben bilden die dritte Person Singular im Präsens und das Partizip Präsens auf dieselbe Weise wie die regelmäßigen Verben. Sie unterscheiden sich jedoch von ihnen durch andere Formen im Präteritum und im Partizip Perfekt. Es gibt gewisse Muster, die sich wiederholen, aber im allgemeinen muß man diese Verben einfach auswendig lernen. (Oft handelt es sich um Verben germanischen Ursprungs, die im Deutschen einem starken Konjugationsmuster folgen.)

Yesterday we *went* to the market. The churchbells *rang*, and all the birds *sang* to compete with them. We *found* a little café and *drank* some wine. When the waiter *came*, we *paid* the bill and *drove* back home.	Gestern *gingen* wir auf den Markt. Die Kirchenglocken *läuteten*, und alle Vögel *sangen* im Wetteifer mit ihnen. Wir *fanden* ein kleines Café und *tranken* etwas Wein. Als der Kellner *kam*, *bezahlten* wir unsere Rechnung und *fuhren* nach Hause.

2b Welche Rolle sie im Satz spielen

Vollverben bestimmen die Satzstruktur und -bedeutung. Je nachdem, mit welchen Satzteilen sie sich verbinden lassen, werden die Verben selbst in transitive und intransitive Verben unterteilt.

(i) Selbständige Verben – allein mit dem Subjekt

Alle Sätze müssen ein Subjekt und ein Verb haben, um vollständig zu sein. Bei intransitiven Verben sind keine anderen Satzteile nötig.

Hannah *laughed*: the rain *had stopped*, the sun *was shining* and the holidays *had begun*.	Hannah *lachte*: Der Regen *hatte aufgehört*, die Sonne *schien*, und die Ferien *hatten begonnen*.

(ii) Gleichwertiges verbinden – Kopulaverben

Kopulaverben verbinden das Subjekt mit einem obligatorischen Komplement. Im Deutschen steht das Komplement immer im Nominativ, da es sich um dieselbe Person handelt (Frage: »wer?« oder »was?«). Je nach Verb kann das Komplement eine Nominalphrase, ein Adjektiv oder eine adverbiale Bestimmung sein. Kopulaverben beschreiben entweder einen Zustand oder einen Vorgang.

| Karl-Heinz wanted to *become* a boxing champion, but now he *is* a ballet dancer. | Karl-Heinz wollte Meister im Boxen *werden*, aber jetzt *ist* er ein Ballettänzer. |

(iii) Transitives Verb mit einem Objekt

Um sinnvoll zu sein, beziehen sich transitive Verben immer auf ein Objekt. Ähnlich wie im Deutschen muß das Objekt jedoch nicht immer genannt werden, wenn die Information nicht wichtig ist.

| Christa *wrote* (a long letter). She *posted* it yesterday. I *was reading* (her news) when Mike *opened* the door. | Christa *hat* (einen langen Brief) *geschrieben*. Sie *hat* ihn gestern *abgeschickt*. Ich *war gerade dabei*, (ihre Neuigkeiten) *zu lesen*, als Mike die Tür *öffnete*. |

Die Verben selbst können einfache oder komplexe Formen haben: **eat, read** gegenüber **look at, wait for.** Letztere bilden mit ihrer Partikel eine Einheit. Um sicher zu sein, welche Kombinationen richtig sind, schlägt man am besten im Wörterbuch nach.

Im *Verbregister* [➤S.160 ff.] werden alle Verben der *einfachen* Form entsprechend als transitiv (tr.) oder intransitiv (intr.) bezeichnet. Kursiv gedruckte Beispielsätze geben dann eventuelle komplexe Formen an.

(iv) Transitives Verb mit zwei Objekten

Manche Verben verbinden sich mit zwei Objekten: einem direkten und einem indirekten, wobei das indirekte Objekt vor dem direkten steht. Die Reihenfolge kann bei manchen Verben vertauscht werden, jedoch nimmt das indirekte Objekt dann meist die zusätzliche Partikel **to** an. Durch die Umstellung wird das am Satzende stehende Objekt in den Mittelpunkt gerückt.

| The waiter *gave* the menu *to Dad.* (The waiter *gave* Dad the menu.) He *brought* him a bottle of wine, and *showed* him the label. Then he *told* him the latest joke. | Der Kellner *gab* Vati die Karte. Er *brachte* ihm eine Flasche Wein und *zeigte* ihm das Etikett. Dann *erzählte* er ihm den neuesten Witz. |

Manche Verben erlauben eine Verbindung mit direktem Objekt und Apposition. In diesen Fällen ist eine Umstellung jedoch nicht möglich.

Last year, the Americans *considered* **Bill Clinton a capable politician, and they** *elected* **him President. He** *appointed* **his wife Minister for Health.**	Letztes Jahr *hielten* die Amerikaner Bill Clinton für einen fähigen Politiker, und sie *wählten* ihn zum Präsidenten. Er *ernannte* seine Frau zur Gesundheitsministerin.

(v)   Verb mit Objekt und adverbialer Bestimmung

Verben mit der Bedeutung »setzen, stellen, legen« verlangen zusätzlich zum Objekt eine adverbiale Bestimmung des Ortes, um den Satz vollständig zu machen.

Chris *put* **the flowers in a vase, while Sue** *laid* **the napkins on the table.**	Chris *stellte* die Blumen in eine Vase, während Sue die Servietten auf den Tisch *legte*.

Solche adverbialen Bestimmungen sind nicht mit komplexen Verben zu verwechseln [▶2b(iii)].

(vi)   Flexibel: mal transitiv, mal intransitiv

Viele Verben können sowohl transitiv als auch intransitiv sein. Die Bedeutung verschiebt sich dabei jeweils. Der Unterschied wird im Deutschen oft durch »werden« (passiv)/»machen, lassen« (aktiv) wiedergegeben oder aber durch reflexiven und nicht-reflexiven Gebrauch des Verbs.

Some filmstars *are ageing* (intransitiv) **gracefully. – You could** *age your pine chest* (transitiv) **artificially by giving it a colour-wash paint effect.**	Manche Filmstars *werden* würdevoll *älter.* – Sie könnten *Ihre Kiefernholztruhe* künstlich *älter machen*, indem Sie sie mit Farbtünche anstreichen.
The sky *is brightening up* (intransitiv). **– I am going to** *brighten this wall up* (transitiv) **with a few posters.**	Der Himmel *erhellt sich.* – Ich werde *diese Wand* mit ein paar Postern *verschönern*.

Hilfsverben: welche Rolle sie spielen

3a *Hilfsverben für Tempus, Aspekt und Passiv*

Drei Hilfsverben nehmen im Englischen eine ganz besondere Rolle ein: Obwohl sie selbst auch als Vollverben fungieren können, ist es ihre Hauptaufgabe, zusammen mit einem Vollverb die verschiedenen Tempusformen, Aspektformen und das Passiv zu bilden.

(i) *Das Hilfsverb* **have**

Das Hilfsverb **have** hat vier Formen: **have, has, had, having** [➤Musterverb 2]. Zusammen mit einem Vollverb bildet **have** alle Perfektformen (also *Present Perfect*, Plusquamperfekt und Futur Perfekt), und zwar für sämtliche Vollverben.

Have you *seen* the tulips in the garden? Hilda planted them last autumn, after Bob *had dug* the flower bed. Unfortunately, they *will have finished flowering* before their guests come.	*Hast* du (*schon*) die Tulpen im Garten *gesehen*? Hilda *hat* sie letzten Herbst *gepflanzt*, nachdem Bob das Blumenbeet *umgegraben hatte*. Leider *werden* sie bereits *verblüht sein*, bevor die Gäste kommen.

(ii) *Hilfsverb* **be**

Mit sieben Formen ist das Hilfsverb **be** das formenreichste englische Verb: **am, are, is, was, were, been, being** [➤Musterverb 4].

Be hat zwei wichtige Aufgaben: zusammen mit einem Vollverb bildet **be** (A) alle Verlaufsformen und (B) alle Formen des Passiv [➤Musterverb 5].

The phone *was ringing*, the fax *was sending* messages, the printer *was printing* documents, the radio *was chattering* away and the television *was blaring out* an opera. Finally the noise became too much for Francis.	Das Telefon *klingelte*, die Faxmaschine *verschickte* Nachrichten, der Drucker *druckte* Dokumente, das Radio *plapperte* vor sich hin, und das Fernsehen *plärrte* eine Oper. Schließlich wurde Francis der Krach zuviel.

In the morning, she *had been woken* by the dog licking her face. Later she *was hit* on the head by a falling tile, and finally, she *was beaten up* by two thugs on the way home.	Am Morgen *war* sie davon *geweckt worden*, daß ihr der Hund das Gesicht ableckte. Später *wurde* sie von einem Dachziegel auf den Kopf getroffen, und schließlich *wurde* sie auf dem Nachhauseweg von zwei Schlägern *verprügelt*.

(iii)   *Hilfsverb* **do**

Das Hilfsverb **do** hat fünf Formen: **do, does, did, done, doing** [▶Modellverb 3].

Do hat vier Aufgaben: (A) Zusammen mit **not** wird es zur Verneinung des Satzinhalts verwendet; (B) es wird zur Fragenbildung verwendet; (C) man kann damit eine Betonung ausdrükken; und (D) man kann es stellvertretend für ein Vollverb verwenden.

'*Do* you *take* this man to be your lawful wedded husband?' – 'I *do*.'	»*Nehmen* Sie diesen Mann zu Ihrem angetrauten Ehemann?« – »Ja.«
Please *do start*. *Don't wait* for me – your food will get cold.	Bitte *fangt (doch) an*. *Wartet nicht* auf mich – euer Essen wird sonst kalt.

3b   *Modale Hilfsverben*

Eine weitere Gruppe von Hilfsverben drückt die Einstellung des Sprechers, die *Modalität,* aus. Deswegen nennt man sie »modale Hilfsverben«. Mit diesen Hilfsverben kann der Sprecher zwei verschiedene Bedeutungsbereiche ausdrücken: (A) Er kann sagen, für wie wahrscheinlich er einen bestimmten Tatbestand hält; (B) er kann zu einer Handlung auffordern oder eine Handlung veranlassen.

Modale Hilfsverben haben nur je zwei Formen (**must** hat sogar nur eine) – das Präsens und das Präteritum. Sie bedienen sich deswegen verschiedener Ersatzformen.

(i)   *Hilfsverb* **will**

Will wird gebraucht, (A) um über die Zukunft zu sprechen [▶4b(iii)]; (B) um eine Absicht oder einen Befehl auszudrücken. Beides läßt sich nicht immer klar trennen.

Adrian *will be working* in the office at the weekend, while I'*ll be* lazing around in the garden.	Adrian *wird* am Wochenende im Büro *arbeiten*, während ich im Garten *herumfaulenze*.
You *will* now *close* your eyes and *go* into a deep sleep.	*Schließen* Sie jetzt die Augen und *fallen* Sie in einen tiefen Schlaf (oder: Sie *werden* jetzt die Augen *schließen* ...).
I promise I'*ll be* a good girl from now on.	Ich verspreche, daß ich von jetzt an ein braves Mädchen *sein werde/will*.

(ii) Hilfsverb **would**

Das Hilfsverb **would** kann auftreten (A) in der indirekten Rede als Präteritumsform für **will**; (B) in Konditionalsätzen (nur im Hauptsatz); (C) zum Ausdruck einer Gewohnheit (hier heißt die Ersatzform **used to**); (D) zum Ausdruck der Verärgerung des Sprechers.

Carsten said he *would pick* us *up* at the airport.	Carsten hat gesagt, daß er uns am Flughafen *abholen würde*.
If the film had been more widely shown, it *would have been* more successful.	Wenn man den Film an mehreren Orten gezeigt hätte, *wäre* er erfolgreicher *gewesen*.
She *would walk* over to the bench at the end of the garden and then she *would sit* there in the evening sun.	Sie *ging gewöhnlich* zur Bank hinten im Garten, und dann *saß* sie *meist* dort in der Abendsonne.
You *would say* that, *wouldn't* you!	Das ist *typisch*, daß du das *sagst*!

(iii) Hilfsverb **shall**

Shall wird verwendet (A) zum Ausdruck der Zukunft in gehobenen Texten in der 1. Person Singular und Plural [➤4b(iii)]; (B) zum Ausdruck einer Aufforderung, irgendwo zwischen Vorschlag (besonders in Fragen), feierlichem Versprechen und Befehl (in Aussagesätzen). Dabei ist der Vorschlag in Form einer Frage die weitaus häufigste Verwendung.

'We *shall* overcome ...'	»Wir *werden überwinden* ...« (Text eines Spirituals)
Shall we *go* to the swimming baths?	*Sollen* wir ins Schwimmbad gehen? /*Hast du/habt ihr Lust,* ins Schwimmbad *zu gehen*?
You *shall* not *lack* for anything!	Es *soll* dir an nichts *fehlen*!

(iv) Hilfsverb *should*

Should kann auftreten (A) in der indirekten Rede als Präteritumsform für **shall**; (B) in gehobenem Stil in Konditionalsätzen; (C) als modales Hilfsverb mit der Bedeutung »sollte« (Ersatzform **ought to**); (D) in der Vergangenheit mit der Bedeutung »hätte eigentlich ... müssen/sollen« **should have** + Partizip Perfekt; (F) um einen hohen Grad der Wahrscheinlichkeit zu bezeichnen. Andere Ersatzformen für **should** sind **obliged to, expected to, have to**.

I said I *should* be there by 9 p.m.	Ich habe gesagt, daß ich bis 21 Uhr da *sein werde*.
If I were you I *should* apply for a grant.	An deiner Stelle *würde* ich mich um ein Stipendium bewerben.
Marie *should have* known better than to play with the water hydrant.	Marie *hätte eigentlich* wissen *müssen*, daß man nicht mit dem Wasserhydranten spielt.
We were *obliged to take part* in the celebrations.	Wir *hatten* an den Feierlichkeiten *teilnehmen müssen*.
Barbara *should be* at the office by now.	Barbara *sollte* inzwischen im Büro *sein* /*ist wahrscheinlich* inzwischen im Büro.

(v) Hilfsverb *can*

Can drückt aus (A) Fähigkeit in der Bedeutung »können« (Ersatz **be able to**); (B) (Bitte um) Erlaubnis mit der Bedeutung »dürfen« (Ersatz **be allowed to**).

| '*Can* I please *play* with Helen and Robert in the pool?' – '*Can* they both *swim*?' | »*Darf* ich bitte mit Helen und Robert im Schwimmbecken *spielen*?« – »*Können* beide *schwimmen*?« |

(vi)   *Hilfsverb* **could**

Ähnlich wie **can**, kann **could** sowohl (A) Fähigkeit und Vermögen ausdrücken als auch (B) die (Bitte um) Erlaubnis etwas zu tun. Außerdem kann es auch (C) eine Möglichkeit ausdrücken oder (D) einen Vorschlag.

John *couldn't find* **his way through the jungle of the German motorways.**	John *konnte* sich im Dschungel der deutschen Autobahnen *nicht zurechtfinden*.
Could **you please** *pass* **the salt?**	*Könntest* du mir bitte das Salz *reichen*?
'What do you think this is?' –**'It** *could be* **the murder weapon.'**	»Was, denken Sie, haben wir hier?/Was könnte das Ihrer Ansicht nach sein?« – »Es *könnte* die Mordwaffe *sein*.«
We *could go* **to the seaside and lie on the beach.**	Wir *könnten* ans Meer *fahren* und am Strand liegen.

(vii)   *Hilfsverb* **may**

May heißt (A) »dürfen« und drückt (Bitte um) Erlaubnis aus, genau wie **can**, aber etwas höflicher oder gehobener; (B) außerdem kann es eine schwache Möglichkeit bezeichnen.

May **I** *have* **an icecream, Mummy?**	*Darf* ich bitte ein Eis *haben*, Mutti?
This *may be* **the fax we have been waiting for.**	Das *könnte* das Fax *sein*, auf das wir gewartet haben.

(viii)   *Hilfsverb* **might**

Might ist (A) in der indirekten Rede Präteritum für **may**; sonst drückt es (B) eine schwache Möglichkeit aus oder (C) einen höflichen Vorschlag.

Pete said he *might drop in* **later on.**	Pete sagte, daß er später *eventuell vorbeischauen* würde.
I *might try* **to give him a ring and sort this problem out.**	*Vielleicht könnte* ich ihn anrufen und das Problem klären.

11

(ix) *Hilfsverb* **must**

Must in der Bedeutung »müssen« drückt (A) Zwang und Verpflichtung aus. Die Ersatzform heißt **have to**. Für Deutschsprachige wichtig: (B) **must not** heißt »nicht dürfen«, während »nicht müssen/brauchen« mit den Ersatzformen **not have to** oder **not need to** übersetzt wird.

We *must hurry* – the train leaves in five minutes.	Wir *müssen* uns *beeilen* – der Zug fährt in fünf Minuten ab.
You *must not smoke* in this carriage.	Sie *dürfen* in diesem Waggon *nicht rauchen*.
You *don't have to shout,* Matt, it's a telephone.	Du *brauchst nicht zu schreien*, Matt, es ist ein Telefon.

3c *Andere Hilfsverben*

Schließlich gibt es eine Gruppe »gelegentlicher« Hilfsverben, die sich oft wie Vollverben verhalten. Hierzu gehören **dare, need, used to** und **had better.**

After the meeting, Julie *dared not/didn't dare* jump onto her desk again. She and Sandra *used to* dance limbo under the partition. Dobs thought they *needn't* worry, but Carol had told them they*'d better* keep their heads down.	Nach der Versammlung *wagte* Julie *es nicht*, wieder auf ihren Schreibtisch zu springen. Sie und Sandra *pflegten* unter der Trennwand Limbo zu tanzen. Dobs meinte, daß sie sich *nicht* sorgen *müßten*, aber Carol hatte ihnen gesagt, daß sie sich *besser* still verhalten sollten.

Wünsche, Vorschläge, Anregungen: der Konjunktiv

In Gegensatz zum Deutschen wird der Konjunktiv im Englischen kaum verwendet. »Möglichkeiten« werden hauptsächlich durch die modalen Hilfsverben ausgedrückt.

4a   Wie er aussieht

Der Konjunktiv ist kaum noch vom Indikativ unterscheidbar – im Präsens gibt es eine einzige unterschiedliche Form: die dritte Person Singular hat keinen **s**-Anhang; und im Präteritum hat nur das Hilfsverb **be** besondere Formen: die erste und dritte Person lauten hier **were** statt **was.**

4b   Wann er verwendet wird

Der Konjunktiv des Präsens erscheint nur noch im Amerikanischen Englisch in Nebensätzen mit **that** nach Verben des Verlangens oder Vorschlagens, sowie in einigen feststehenden Redewendungen.

The new law required that each citizen *surrender* all firearms.	Das neue Gesetz verlangte, daß alle Bürger ihre Waffen *abgeben sollten.*
God *save* the Queen. God *bless* you. Heaven *forbid*.	Gott *erhalte* die Königin. Gott *segne* dich. Der Himmel *verhüte* es./Um Himmels willen.

Der Konjunktiv Präteritum wird nach dem Verb **wish,** dem Ausdruck **it is (high) time** und in unerfüllbaren Bedingungssätzen verwendet.

I wish I *were* going to the Bermudas. It is time I *had* another holiday.	Ich wünschte, ich *würde* auf die Bermudas *reisen.* Es ist Zeit, daß ich wieder mal Urlaub *hätte*.

'If Queen Victoria *were* still alive she would not like today's fashions.' – 'If I *were* her I would be glad to wear comfortable clothes.'

»Wenn Königin Victoria noch am Leben *wäre*, würde sie die heutige Mode nicht mögen.« – »Wenn ich sie *wäre*, wäre ich froh, bequeme Kleidung zu tragen.«

Über die Zeit sprechen

➤ **[Für detailliertere Informationen zu diesem Thema ➤*Basiswissen Englisch: Grammatik, Kapitel 17.*]**

Im Englischen (wie im Deutschen) dienen die Verben dazu, einen Bezug zur Zeit herzustellen. Um dies zu ermöglichen, können sie verschiedene Tempora annehmen.

Zeit bezieht sich auf den Zeitablauf in der Wirklichkeit, *Tempus* auf grammatische Formen. Sie entsprechen einander nur teilweise, und man verwendet deswegen allgemein den deutschen Ausdruck für die Zeit (z.B. Gegenwart) und den lateinischen Ausdruck für das Tempus (z.B. Präsens).

Ungewohnt für einen Deutschsprechenden sind die Verlaufsformen des Englischen, die ebenfalls einen Zeitbezug herstellen können.

5a *Über Gegenwärtiges sprechen*

(i) *Mit der Verlaufsform des Präsens*

Durch den Gebrauch der Verlaufsform drückt der Sprecher aus, daß eine Handlung oder ein Ereignis zum Zeitpunkt des Sprechens andauert. Er macht dabei keine Aussage darüber, wie lange die jeweilige Handlung schon gedauert hat oder noch dauern wird. Die Verlaufsform des Präsens wird aus dem Präsens des Hilfsverbs **be** und der **-ing**-Form (Partizip Präsens) des Vollverbs gebildet.

The rainforests *are dying*, and you *are* just *sitting* there *watching* television!	Die Regenwälder *sind dabei zu sterben*, und du *sitzt* nur da und *siehst* fern!
'*Are* you *preparing* the new product launch?' – 'No, we *are* still *testing* the market.'	»*Sind* Sie *dabei*, die Einführung des neuen Artikels *vorzubereiten*?« – »Nein, wir *prüfen* immer noch den Markt.«

(ii) *Mit dem einfachen Präsens*

Tatsachen, Gewohnheiten und allgemeine Äußerungen (ob wahr oder nicht!) sowie sich wiederholende Ereignisse werden durch das einfache Präsens ausgedrückt.

Das einfache Präsens besteht aus der Grundform des Vollverbs. In der 3. Person Singular wird ein **-s** angehängt, ansonsten bleibt es unverändert.

Sam *enjoys* skiing. Every winter she *goes* to Switzerland for two weeks.	Sam *läuft gerne* Ski. Jeden Winter *fährt* sie zwei Wochen in die Schweiz.
'The Sun *turns* around the Earth.' – 'No, on the contrary: the Earth revolves around the Sun.'	»Die Sonne *dreht* sich um die Erde.« – »Nein, im Gegenteil: Die Erde dreht sich um die Sonne.«

5b *Über Zukünftiges sprechen*

(i) Mit der Verlaufsform des Präsens

Ein zukünftiges Vorhaben drückt man im Englischen am häufigsten mit der Verlaufsform des Präsens aus. Der Zukunftsbezug wird dabei manchmal durch adverbiale Zeitbestimmungen wie **soon**, **next week** usw. ausgedrückt. Im allgemeinen ist er aber sowieso aus dem Zusammenhang deutlich ersichtlich.

'The company *is sending* me to New York.' – 'Great. How long *are* you *going* for and where *are* you *staying*?'	»Die Firma *schickt* mich nach New York.« – »Wunderbar. Wie lange *bleibst* du da und wo *wirst* du *wohnen*?«

(ii) Mit going to

Eine weitere Art, sich auf die Zukunft zu beziehen, die vor allem in der Umgangssprache häufig vorkommt, ist die Verwendung des Ausdrucks **going to**. Damit redet man von einer sich schon abzeichnenden, nahen Zukunft und oft von einer beabsichtigten Handlung.

Diese Form wird gebildet aus der entsprechenden Form von (**be**) + **going to**, gefolgt von der Grundform des Vollverbs.

This autumn Cappi *is going to dig up* the bottom of the garden, and next spring they *are going to start* a vegetable bed there.	Im Herbst *wird/will* Cappi das Ende vom Garten *umgraben*, und im Frühjahr *werden/wollen* sie dort ein Gemüsebeet *anlegen*.

(iii)   Mit den Hilfsverben **shall** und **will**

Mit dieser Form des Futurs drückt man einen Plan, eine Absicht (oder Hoffnung) oder eine Voraussage aus.

Für die 1. Person Singular und Plural in formellen Kontexten gibt es das Hilfsverb **shall**. Allgemein ist heute jedoch auch hier das Hilfsverb **will** sehr viel geläufiger, besonders in der Umgangssprache [3b(i) und (iii)]. Beide Hilfsverben werden oft zu 'll zusammengezogen [➤7].

Norbert *will present* full budget details at tomorrow's meeting.	Norbert *wird* alle Etateinzelheiten in der morgigen Besprechung *vorlegen*.
'We*'ll meet* again, don't know where, don't know when.' (Vera Lynn)	»Wir *seh'n* uns wieder, weiß nicht wo, weiß nicht wann.«

(iv)   Mit der Verlaufsform des Futur

Diese Form wird verwendet, wenn eine zukünftige Handlung gleichzeitig mit einer anderen abläuft oder von dieser unterbrochen wird. Wenn die zweite Handlung implizit bleibt, kann unterschwellig eine Drohung, Ironie oder dergleichen mitschwingen.

Sie wird gebildet mit den Hilfsverben **will (shall)** + **be** + Partizip Präsens (**-ing**-Form) des Vollverbs. Die Verkürzung der Hilfsverben 'll ist dabei weithin geläufig.

You*'ll be working* so hard that you'll be glad to get back home.	Du *wirst* so hart *arbeiten*, daß du froh *sein wirst*, wenn du wieder nach Hause kommst.
I*'ll be waiting* for you!	Ich *werde* auf dich *warten*!

(v)   Mit dem einfachen Präsens

Wie im Deutschen können feststehende Pläne und Ereignisse wie zum Beispiel Fahrpläne auch mit dem einfachen Präsens einen Zukunftsbezug annehmen.

Your plane *departs* from gate 28. Boarding *starts* at 9.30.	Ihr Flugzeug *fliegt* vom Flugsteig 28 ab. Ab 9.30 *können* Sie an Bord gehen.

5c   Über Vergangenes sprechen

Während sich im Deutschen Präteritum und *Present Perfect* sinngemäß kaum unterscheiden und man oft beide Tempora verwenden kann, gibt es im Englischen feste Regeln: Angaben über einen präzisen Zeitpunkt signalisieren, daß das Präteritum gebraucht werden muß, während ungenaue Zeitbestimmungen das *Present Perfect* verlangen.

(i)   Mit dem einfachen Präteritum

Das einfache Präteritum drückt aus, daß ein Ereignis, ein Zustand oder eine Handlung *zu einem bestimmten Zeitpunkt* in der Vergangenheit stattgefunden hat und abgeschlossen ist. Oft enthalten die Sätze eine adverbiale Bestimmung mit präziser Angabe eines Zeitpunkts (z.B. **last weekend, three minutes ago**).

Das englische Präteritum kann im Deutschen sowohl durch das Präteritum als auch durch das *Present Perfect* übersetzt werden. Letzteres wird – besonders in der Umgangssprache – oft vorgezogen.

Das Präteritum wird für regelmäßige Verben durch Anhängen von **-ed** gebildet. Unregelmäßige Verben haben meist andere Formen [►Musterverben 12 bis 56].

Yesterday, the weather forecast **got** it all wrong: rain **followed** sunshine, and we even **had** hailstorms.	*Gestern war* der Wetterbericht vollkommen falsch: Regen *folgte* auf Sonnenschein, und wir *hatten* sogar Hagelstürme.
'What **did** you **do** *last weekend*?' – 'We **went** to the swimming baths because the weather **was** too awful to be outside. '	»Was *habt* ihr *letztes Wochenende* unternommen?« – »Wir *sind ins Schwimmbad gegangen*, weil das Wetter zu schrecklich *war*, um draußen zu sein.«

(ii)   Mit dem Present Perfect

Der Gebrauch des *Present Perfect* im Englischen unterscheidet sich von dem im Deutschen. Es wird deswegen hier unter seinem englischen Namen **Present Perfect** besprochen. In älteren Grammatikbüchern findet man jedoch oft auch den deutschen Ausdruck »Perfekt«.

Mit dem *Present Perfect* bezieht sich der Sprecher *auf einen vagen Zeitpunkt* in der Vergangenheit. Wenn es von adverbialen Bestimmungen der Zeit begleitet ist, handelt es sich dabei um unpräzise Ausdrücke wie **recently, just, some time ago, (n)ever (before)**.

Das *Present Perfect* wird mit einer Form von **have,** gefolgt vom Partizip Perfekt des Vollverbs, gebildet.

Since **his last holidays Francis** *hasn't had* **the time to read much, but he** *has just bought* **an interesting book.**	*Seit* seinen letzten Ferien *hat* Francis keine Zeit *gehabt,* viel zu lesen, aber er *hat gerade* ein interessantes Buch *gekauft.*
Have **you** *ever seen* **anything like it? I***'ve never come across* **such chaos!**	*Hast* du *schon jemals* so etwas *gesehen?* So ein Chaos *ist* mir *noch nie untergekommen!*

(iii)   Mit der Verlaufsform des Präteritum

Die Verlaufsform wird verwendet, wenn zwei Tätigkeiten oder Ereignisse parallel ablaufen. Sie können dabei gleichzeitig geschehen, oder aber die erste Tätigkeit dauert an, während die zweite dazutritt oder die erste unterbricht.

Diese Form wird durch eine Präteritumsform von **be** + Partizip Präsens des Vollverbs gebildet.

'**What** *were* **you** *doing* **when Kennedy was shot?'** – '**I** *was playing* **tennis when news of his assassination broke.'**	»Was *hast* du *(gerade/in dem Moment) getan,* als Kennedy erschossen wurde?« – »Ich *habe (gerade)* Tennis *gespielt,* als die Nachricht von seiner Ermordung durchkam.«
The team *was preparing* **research materials while the managers** *were discussing* **redundancies.**	Das Team *war dabei,* Marktforschungsmaterial *vorzubereiten,* während die Manager über Entlassungen *diskutierten.*

(iv)   Mit der Verlaufsform des Present Perfect

Mit der Verlaufsform des *Present Perfect* kann der Sprecher ausdrücken, daß eine in der Vergangenheit begonnene Handlung zum Zeitpunkt des Sprechens in der Gegenwart noch andauert oder der Effekt bis in die Gegenwart hineinreicht.

Diese Form wird gebildet aus der entsprechenden Form von **have** + **been** + Partizip Präsens des Vollverbs.

I've been sitting here for three hours (already) and nobody has offered me a drink (yet)!	Ich *sitze* hier (schon) seit drei Stunden, und noch niemand hat mir (bis jetzt) etwas zu trinken angeboten!
Who's *been drinking* from my cup? Who's *been sleeping* in my bed?	Wer *hat* aus meiner Tasse *getrunken*? Wer *hat* in meinem Bett *geschlafen*?

5d Zeitliches Nacheinander

(i) In der Vergangenheit

(A) Mit dem Plusquamperfekt

Ereignisse in der Vergangenheit können zeitlich geordnet werden. Mit dem Plusquamperfekt läßt sich ausdrücken, daß das eine vor dem anderen passiert ist.

Für alle Personen wird das Plusquamperfekt aus **had** + Partizip Perfekt gebildet.

We discussed a detailed report which Geoff *had written* and *distributed* before the conference.	Wir haben einen ausführlichen Bericht besprochen, den Geoff vor der Konferenz *geschrieben* und *verteilt hatte*.

(B) Mit der Verlaufsform des Plusquamperfekt

Mit der Verlaufsform des Plusquamperfekt läßt sich ausdrükken, daß ein vorzeitiges Ereignis bis zum beschriebenen Zeitpunkt angedauert hat. Im Deutschen fügt man hier oft das Wort »schon« ein.

Diese Form wird für alle Personen aus **had been** + Partizip Präsens des Vollverbs gebildet.

It *had been raining* heavily for weeks, and many roads near inland rivers were closed.	Es *hatte schon* wochenlang stark *geregnet*, und viele Straßen in der Nähe von Flüssen im Binnenland waren gesperrt.

(ii) *In der Zukunft*

Auch in der Zukunft lassen sich Ereignisse zeitlich ordnen.

(A) Mit dem Futur Perfekt

Diese Futurform (oft auch als Futur II bezeichnet) drückt die Vorzeitigkeit einer zukünftigen Handlung gegenüber einem bestimmten Zeitpunkt oder einer anderen zukünftigen Handlung aus. Die zweite Handlung kann dabei ihre Zukünftigkeit mit anderen Tempora wie z.b. dem Präsens ausdrücken.

Für alle Personen besteht das Futur Perfekt aus **will have** + Partizip Perfekt des Vollverbs.

Len *will have finished* editing the encyclopedia by the time we have found a picture researcher.	Len *wird* die Enzyklopädie *fertig*redigiert *haben*, bis wir einen Bildbeschaffer gefunden haben.

(B) Mit der Verlaufsform des Futur Perfekt

Mit dieser Form kann der Sprecher ausdrücken, daß ein Ereignis bis zum beschriebenen, zukünftigen Zeitpunkt andauert. Die zweite Handlung kann dabei ihre Zukünftigkeit mit anderen Tempora wie z.B. dem Präsens ausdrücken.

Sie wird für alle Personen aus **will have been** + Partizip Präsens des Vollverbs gebildet.

The French *will have been running* TGV trains to the Channel Tunnel for years before the British rail link is completed.	Die Franzosen *werden schon seit* Jahren einen regelmäßigen TGV-Zugverkehr zum Kanaltunnel *unterhalten*, bevor die britische Bahnverbindung fertig ist.

5e Besonderheiten der Verlaufsformen

(i) *Andauernde Handlungen*

Durch den Gebrauch der Verlaufsform signalisiert der Sprecher, daß eine bestimmte Handlung oder Tatsache zu dem von ihm beschriebenen Zeitpunkt noch andauert. Dies wird im Vergleich des folgenden Satzpaares deutlich:

I *have been living* in London for 16 years.	Ich *lebe* seit 16Jahren in London (und lebe noch heute dort).
I *lived* in Berlin for for 20 years.	Ich *habe* 20 Jahre lang in Berlin *gelebt* (und lebe nun woanders).

(ii)   Wiederholungen

Verben, die punktuelle Handlungen bezeichnen, drücken in der Verlaufsform eine Wiederholung dieser Handlungen aus.

Terry *was jumping around* on the dancefloor, Mark *was knocking back* one pint after another.	Terry *sprang* auf dem Tanzboden *herum*, Mark *kippte sich* ein Glas nach dem andern *hinter die Binde*.

(iii)   In veränderter Bedeutung

Verben, die einen Zustand oder eine Wahrnehmung bezeichnen, werden nur selten in der Verlaufsform verwendet. Wenn sie in dieser Form erscheinen, nehmen sie meist eine etwas veränderte Bedeutung an.

Marie could hardly believe what she *was hearing*: the whole department had gone to the pub while she *was seeing* the boss.	Marie konnte kaum glauben, was sie *da hörte*: Die ganze Abteilung war in die Kneipe gegangen, während sie mit dem Chef *gesprochen hatte*.

Unterschiedliche Perspektiven: Aktiv und Passiv

Dieselbe Handlung oder dasselbe Ereignis kann oft auf zwei verschiedene Weisen ausgedrückt werden: einmal aus der Sicht des Handelnden oder des aktiven Subjekts (= das Aktiv) und einmal aus der Sicht des »Erleidenden«, des passiven Objekts der Handlung (= das Passiv).

Some MPs *criticized* the Prime Minister. – The Prime Minister *was criticized* by some MPs.	Einige Abgeordnete *haben* den Premierminister *kritisiert*. – Der Premierminister *wurde* von einigen Abgeordneten *kritisiert*.

6a *Wie das Passiv gebildet wird*

(i) *Mit dem Hilfsverb* **be**

Für alle Tempora, sowohl für die einfachen als auch für die Verlaufsformen, gibt es entsprechende Passivformen. Die Regeln für die Verwendung der Tempora im Passiv sind dieselben wie für das Aktiv. In der Praxis wird von den Verlaufsformen jedoch nur das Passiv des Präsens und des Präteritum verwendet.

Das Passiv wird durch die entsprechende Form des Hilfsverbs **be**, gefolgt vom Partizip Perfekt des Vollverbs, gebildet [►Musterverb 5].

Wenn das Verb einen Partikel mit sich führt [►*Basiswissen Englisch: Grammatik*, 19e], bleibt dieser im Passiv erhalten.

In some countries, elderly people *are* no longer *looked after* by the state. They have to *be cared for* by their own families. They *are* gradually *being abandoned* by the health service.	In manchen Ländern *kümmert sich* der Staat nicht mehr *um* die älteren Menschen. Sie müssen von ihren Familien *versorgt werden*. Sie *werden* langsam vom Gesundheitswesen *aufgegeben*.

(ii)   Mit dem Hilfsverb **get**

Besonders in der Umgangssprache verwendet man auch das Verb **get**, um passivische Sätze zu konstruieren. Diese Passivform wird mit der entsprechenden Form von **get** + Partizip Perfekt gebildet.

I wonder who'll *get elected* this year? I'm sure we'll *get bombarded* with election propaganda from all parties. Normally, the government *gets blamed* for economic failure.	Ich frage mich, wer wohl dieses Jahr *gewählt wird*. Sicher *wird man uns* mit Wahlpropaganda von allen Parteien *bombardieren*. Normalerweise *macht man* die Regierung für wirtschaftliches Versagen *verantwortlich*.

(iii)   Verben ohne Passiv

Statische Verben können nicht im Passiv stehen. Erscheinen sie in einem Passivsatz, so nehmen sie eine veränderte, dynamische Bedeutung an.

The flat *measures* 100 square metres. – The flat *has been measured*.	Die Wohnung *mißt* 100 m². – Die Wohnung *ist ausgemessen worden*.

6b   Wozu man das Passiv verwendet

(i)   Verschiebung des Schwerpunkts

(A) Subjekt wird zum Agenten

Durch die Verwendung des Passiv läßt sich ein anderer Satzteil in den Vordergrund rücken. Das ehemalige Objekt wird zum neuen Subjekt, und das Subjekt des Aktivsatzes wird zum Agenten des Passivsatzes, eingeleitet durch die Partikel **by**. Der Schwerpunkt des Satzes liegt meist am Satzende – der Agent erhält damit also eine stärkere Betonung als im Aktivsatz.

Monkeys *eat* peanuts. – Peanuts *are eaten by* monkeys.	Affen *fressen* Erdnüsse. – Erdnüsse *werden von* Affen *gefressen*.

Die Bedeutung verschiebt sich dabei leicht:

Monkeys eat peanuts (and bananas and apples). – Peanuts are eaten by monkeys (and by robins and blackbirds).	Affen fressen Erdnüsse (und Bananen und Äpfel). – Erdnüsse werden von Affen (und Rotkehlchen und Amseln) gefressen.

(B) Zwei mögliche Subjekte

Verben, die sowohl ein direktes als auch ein indirektes Objekt haben, können beide Objekte zum Subjekt von verschiedenen Passivsätzen machen. Es kommt ganz auf den Kontext an, welcher Satzteil betont werden soll. Im allgemeinen wird ein belebtes Subjekt einem unbelebten vorgezogen. (Man beachte die unterschiedliche Satzstellung im Deutschen und den Gebrauch des anderen Verbs.)

Vivien *gave* each employee (indirektes Objekt) **a golden watch** (direktes Objekt). **– Each employee *was given* a golden watch *by* Vivien. – A golden watch *was given to* each employee *by* Vivien.**	Vivien *gab* jedem Angestellten eine goldene Uhr. – Jeder Angestellte *erhielt* eine goldene Uhr *von* Vivien. – Jedem Angestellten *wurde* von Vivien eine goldene Uhr *gegeben*.

(ii) In vagen Aussagen

Im Passiv ist es möglich, das Aktiv-Subjekt (oder den Agenten) ganz wegzulassen. Die Passivkonstruktion wird deswegen oft vorgezogen, wenn es selbstverständlich oder unwichtig ist oder man es nicht erwähnen will. Im Deutschen übersetzt man solche Sätze eher mit einer Aktivkonstruktion und verwendet dabei häufig das unbestimmte Subjekt **man**.

Yesterday's storm reached speeds of up to 100 mph. Many buildings *were damaged*, and several villages *were flooded* by rising water.	Der gestrige Sturm erreichte Geschwindigkeiten von über 160 km/h. Viele Gebäude *wurden beschädigt*, und einige Ortschaften *wurden* vom steigenden Hochwasser *überflutet*.
Clare *was being considered* for the board of directors.	*Man erwog* Clare für den Firmenvorstand.

(iii)   *Ungewißheit*

Einen ungewissen Tatbestand kann man im Englischen gut mit Hilfe von Passivkonstruktionen ausdrücken. Dabei bedient man sich solcher Verben wie **say** oder **believe**.

It *is assumed* that the exchange rate will stay stable for a while. The Chancellor *is said* to be furious about newspaper reports of his tax increases.	*Man nimmt an,* daß der Wechselkurs eine Zeitlang stabil bleibt. Der Schatzkanzler *soll* über die Zeitungsberichte von seinen Steuererhöhungen sehr verärgert sein.

Verbformen ohne Zeitbezug

7a Die Infinitivformen

Der Infinitiv eines Verbs besteht aus dessen Grundform mit oder ohne vorgestelltem **to**, z.B. **(to) ask, (to) take, (to) know**. Er wird im Englischen häufig verwendet, doch nicht so oft wie im Deutschen.

(i) Nach modalen Hilfsverben

Nach allen modalen Hilfsverben folgt der Infinitiv ohne **to**:

I must *go*, you should *come* with me, he can *stay*.	Ich muß *gehen*, du solltest mit mir *kommen*, er kann hier *bleiben*.

(ii) Infinitiv als Objekt oder Subjekt

Alle Verben können im Infinitiv als Subjekt des Satzes auftreten. Nach Verben, die »mögen, wollen, vorziehen« (**like, prefer, want**) ausdrücken, kann das Objekt wahlweise aus einer Nominalphrase oder einem Infinitiv bestehen.

Thomas likes *to stay* at home, but Michael prefers *to travel*.	Thomas *bleibt* gern zu Hause, aber Michael *reist* lieber.
'*To know, know, know* you is *to love, love, love* you.' (Schlager aus den 50er Jahren)	»Dich *zu kennen, kennen, kennen* heißt dich *zu lieben, lieben, lieben*.«

(iii) Infinitiv als Nebensatz

Der Infinitiv wird oft dazu verwendet, einen ganzen Nebensatz zu verkürzen. Dieser Nebensatz kann sein eigenes Subjekt haben. (Da es sich dabei gleichzeitig um das Objekt des Hauptverbs handelt, stehen Pronomen im Akkusativ.)

Brian asked a taxidriver *how to get out of the town*. He wanted *him to drive ahead and to show them the way*.	Brian fragte einen Taxifahrer, *wie er aus der Stadt herauskäme*. Er wollte, *daß er vorneweg fahre und ihnen den Weg zeige*.

(iv)   *Andere Infinitive*

Es gibt verschiedene Infinitivformen für Aktiv und Passiv sowie für die Verlaufsformen, die Gleichzeitigkeit oder Vorzeitigkeit ausdrücken können. Die mit Sternchen versehenen Formen treten nur selten auf.

to ask	to be asking
to have asked	to have been asking
to be asked	to be being asked *
to have been asked	to have been being asked *

Elizabeth was proud *to have been asked* to open the Channel Tunnel.	Elisabeth war stolz darauf, *gebeten worden zu sein/daß man sie gebeten hatte,* den Kanaltunnel zu eröffnen.

7b   Die Partizipien

Im Deutschen lassen sich die Partizipien am besten durch einen ganzen Nebensatz wiedergeben. Es gibt Partizipformen für Aktiv- und Passivkonstruktionen (z.B. **building**, **being built**, **having built**, **having been built**).

Das Partizip Präsens signalisiert im allgemeinen Gleichzeitigkeit, das Partizip Perfekt Vorzeitigkeit. In manchen Sätzen sind beide Partizipien austauschbar:

After *having negotiated (negotiating)* wage reductions for the workers, the managing director gave himself a large pay rise.	Nachdem er für die Arbeiter eine Lohnkürzung *ausgehandelt hatte,* gab der Geschäftsführende Direktor sich selbst eine große Gehaltserhöhung.

(i)   *Partizip Präsens*

Das Partizip Präsens wird durch Anhängen von **-ing** an die Grundform des Verbs gebildet. Es wird zur Bildung sämtlicher Verlaufsformen verwendet.

Genau wie der Infinitiv kann auch das Partizip Präsens als Subjekt oder Objekt eines Satzes auftreten, bzw. als Verkürzung eines Nebensatzes.

Reading and *writing* have been replaced as hobbies by *watching television* and *playing computer games.*	*Lesen* und *Schreiben* sind als Hobbies durch *Fernsehen* und *Computerspiele* ersetzt worden.

Verben wie **enjoy, avoid, deny, finish** und Konstruktionen mit Präpositionen wie **afraid of, tired of** verlangen immer nach dem Partizip Präsens.

Jo enjoys *watching* **Chinese films, but she is tired of** *seeing* **dubbed versions.**	Jo *sieht* gern chinesische Filme, aber sie ist es leid, synchronisierte Versionen *zu sehen.*

Einige Verben wie **(dis)like, love, hate** können wahlweise den Infinitiv oder das Partizip Präsens nach sich ziehen, wobei letzteres geläufiger ist.

Ursula loves *translating/to translate* **cooking recipes.**	Ursula *übersetzt* gerne Kochrezepte.

(ii) *Partizip Perfekt*

Das Partizip Perfekt wird für regelmäßige Verben durch Anhängen von **-ed** gebildet; unregelmäßige Verben haben spezielle Formen [➤Musterverben 12 bis 56].

Das Partizip Perfekt drückt eine Vorzeitigkeit gegenüber der Handlung des Hauptsatzes aus, die dabei oft wie eine Begründung anmutet:

Having read **the biography of the writer, Madeleine was able to understand his work much better.**	*Nachdem (dadurch daß/weil)* sie die Biografie des Schriftstellers *gelesen hatte*, konnte Madeleine sein Werk viel besser verstehen.

Kürzer gesagt: Zusammenziehungen

Fast alle Hilfsverben lassen sich verkürzen, wenn sie nicht betont sind. Wenn der Satzinhalt verneint ist, tauchen solche Verkürzungen besonders häufig auf.

Zusammenziehungen sind heute im Englischen weithin üblich. In der Umgangssprache werden sie fast ausschließlich verwendet, und auch im Schriftlichen schleichen sie sich langsam überall ein. Spricht man heute ohne Zusammenziehungen oder schreibt man an Freunde und Verwandte, ohne sie zu verwenden, so hört es sich sehr steif an. Im formellen oder geschäftlichen Schriftverkehr dagegen werden sie normalerweise nicht verwendet. Es kommt also ganz auf den Kontext an.

Einige unterschiedliche Hilfsverben verkürzen sich zu derselben Form. So kann es zu Verwirrungen kommen. Sie sind hier kursiv gesetzt.

Die folgenden Zusammenziehungen sind möglich, weithin üblich und werden auch in den Beispielsätzen in diesem Buch verwendet:

have	**'ve**
has	***'s***
had	***'d***
am	**'m**
are	**'re**
is	***'s***
shall/will	**'ll**
would	***'d***
have + not	**haven't**
has + not	**hasn't**
had + not	**hadn't**
am + not	(in Fragen: **aren't**, im Amerikanischen Englisch: **ain't**)

is + not	isn't
are + not	aren't
was + not	wasn't
were + not	weren't
do + not	don't
does + not	doesn't
did + not	didn't
can + not	cannot / can't
could + not	couldn't
will + not	won't
would + not	wouldn't
shall + not	(seltener gebraucht, meist um stärkere Wahrscheinlichkeit auszudrücken oder mehr Nachdruck zu geben: **shan't**)
should + not	shouldn't
must + not	mustn't
may + not	(fast nie gebraucht: **mayn't**)
might + not	mightn't
dare + not	**daren't** (**didn't dare** ist ebenfalls möglich)
ought + not	oughtn't
need + not	needn't

B
ENGLISCHE MUSTERVERBEN

Erklärung

Register der Musterverben

Volle Konjugationen:

– regelmäßiges Verb **ask** Aktiv Nr. 1

– Hilfsverb **have** Nr. 2

– Hilfsverb **do** Nr. 3

– Hilfsverb **be** Nr. 4

– regelmäßiges Verb **be asked** Passiv Nr. 5

Regelmäßige Verben Nr. 6–11

Unregelmäßige Verben Nr. 12–56

Erklärung

Auf den folgenden Seiten finden Sie die Konjugationsmuster der häufigsten englischen Verben in alphabetischer Anordnung.

• Das Verb **ask** sowie die Hilfsverben **have**, **do**, **be** sind in allen Tempora und für alle Personen voll durchkonjugiert. Das Verb **ask** ist zusätzlich in allen Tempora, Personen und Aspekten im Passiv durchkonjugiert.

• Für sämtliche nachfolgenden Verben ist das Präsens durchkonjugiert, während alle anderen Tempora nur in der 1. Person angezeigt werden. Die Formen des jeweiligen Verbs sind für alle anderen Personen unverändert (z.B. I would have **loved** – they would have **loved**).

• Für jedes Verb ist in der Einleitung ein »Muster« angegeben (z.B. 1–2–2). Dieses Muster bezieht sich auf die drei Hauptformen, die in allen Wörterbüchern zitiert werden: die Grundform (Infinitiv, Imperativ, Präsens, Futur und Konditional), das Präteritum und das Partizip Perfekt (*Present Perfect*, Plusquamperfekt, Futur Perfekt, Konditional Perfekt). Gleiche Zahlen bedeuten gleiche Formen – z.B. das Muster 1–2–2 für das Verb **teach** zeigt an, daß Präteritum und Partizip Perfekt dieselbe Form haben: **teach–taught–taught**; das Muster 1–1–1 für das Verb **put** zeigt, daß alle drei Hauptformen gleich sind: **put–put–put**.

• Verben, die demselben oder einem ähnlichen Konjugationsmuster folgen, sind ebenfalls angegeben. Die Muster sollen jedoch nicht dazu verleiten, andere, ähnlich geschriebene oder ähnlich klingende Verben ebenso zu konjugieren. Unter der Überschrift »Verben, die nicht demselben Muster folgen« sind deswegen Beispiele solcher Verben als Warnzeichen angegeben.

• Die Beispielsätze sollen einen allgemein üblichen, idiomatischen Gebrauch des jeweiligen Verbs veranschaulichen.

ENGLISCHES VERB	*DEUTSCHES VERB*	*NUMMER*
Volle Konjugation:		
ask	fragen	1
Hilfsverben:		
have	haben	2
do	tun	3
be	sein	4
Passiv:		
be asked	gefragt werden (Passiv)	5
Regelmäßige Verben:		
love	lieben	6
miss	vermissen, fehlen	7
beg	bitten	8
free	befreien	9
carry	tragen	10
die	sterben	11
Unregelmäßige Verben:		
beat	schlagen	12
begin	anfangen, beginnen	13
break	(zer)brechen	14
bring	bringen	15
buy	kaufen	16
catch	fangen	17
come	kommen	18
cut	schneiden	19
draw	zeichnen; ziehen	20
drive	fahren; treiben	21
fall	fallen	22
feel	fühlen	23
find	finden	24
get	bekommen, erhalten	25
give	geben	26
go	gehen, fahren	27
hear	hören	28
hold	halten	29
keep	behalten	30
know	kennen, wissen	31
lead	führen	32

ENGLISCHES VERB	*DEUTSCHES VERB*	*NUMMER*
leave	(ver)lassen	33
let	lassen; vermieten	34
lie	liegen	35
light	anzünden, erleuchten	36
lose	verlieren	37
make	machen	38
mean	meinen, bedeuten	39
meet	treffen	40
pay	(be)zahlen	41
put	legen, setzen, stellen	42
read	lesen	43
run	laufen	44
say	sagen	45
see	sehen	46
send	senden, schicken	47
set	setzen, stellen, legen	48
show	zeigen	49
sit	sitzen	50
speak	sprechen	51
stand	stehen	52
take	nehmen	53
teach	lehren	54
tell	erzählen	55
think	denken	56

Regelmäßiges Verb mit vier Formen – Muster 1–2–2

INFINITIV/IMPERATIV	PRÄTERITUM
ask/ask!	asked

PRÄSENS *Present simple tense / Gegenwart*
I ask
you ask
he/she/it asks
we ask
you ask
they ask

PRÄTERITUM *Past simple / Vergangenheit*
I asked
you asked
he/she/it asked
we asked
you asked
they asked

FUTUR *Future / Zukunft*
I will (shall) ask
you will ask
he/she/it will ask
we will (shall) ask
you will ask
they will ask

KONDITIONAL *Conditional*
I would (should) ask
you would ask
he/she/it would ask
we would (should) ask
you would ask
they would ask

PRESENT PERFECT *do. vollendete Gegenwart*
I have asked
you have asked
he/she/it has asked
we have asked
you have asked
they have asked

PLUSQUAMPERFEKT *Past perfect vollendete Vergangenheit*
I had asked
you had asked
he/she/it had asked
we had asked
you had asked
they had asked

FUTUR PERFEKT *Future II vollendete Zukunft*
I will (shall) have asked
you will have asked
he/she/it will have asked
we will (shall) have asked
you will have asked
they will have asked
(will + have)

KONDITIONAL PERFEKT *conditional II vollendet*
I would (should) have asked
you would have asked
he/she/it would have asked
we would (should) have asked
you would have asked
they would have asked

PARTIZIP PRÄSENS
asking

PARTIZIP PERFEKT
asked

VERLAUFSFORMEN

PRÄSENS
I am asking
you are asking
he/she/it is asking
we are asking
you are asking
they are asking

PRÄTERITUM
I was asking
you were asking
he/she/it was asking
we were asking
you were asking
they were asking

FUTUR
I will (shall) be asking
you will be asking
he/she/it will be asking
we will (shall) be asking
you will be asking
they will be asking

KONDITIONAL
I would (should) be asking
you would be asking
he/she/it would be asking
we would (should) be asking
you would be asking
they would be asking

PRESENT PERFECT
I have been asking
you have been asking
he/she/it has been asking
we have been asking
you have been asking
they have been asking

PLUSQUAMPERFEKT
I had been asking
you had been asking
he/she/it had been asking
we had been asking
you had been asking
they had been asking

FUTUR PERFEKT
I will (shall) have been asking
you will have been asking
he/she/it will have been asking
we will (shall) have been asking
you will have been asking
they will have been asking

KONDITIONAL PERFEKT
I would (should) have been asking
you would have been asking
he/she/it would have been asking
we would (should) have been asking
you would have been asking
they would have been asking

VERBEN, DIE DEMSELBEN MUSTER FOLGEN

check	prüfen
greet	grüßen
groan	stöhnen
help	helfen
jump	springen
limp	humpeln
mark	markieren
walk	gehen, laufen

N.B.: Die große Mehrzahl aller Verben im Englischen wird nach diesem Muster konjugiert. Alle haben vier Formen: die Grundform (Infinitiv, Imperativ und Präsens außer der 3. Person Singular), die **s**-Form (3. Person Singular Präsens), die **ed**-Form (Präteritum und Partizip Perfekt) und die **ing**-Form (Partizip Präsens).

Andere regelmäßige Verben weichen minimal von diesem Muster ab. Diese Verben werden unter den Nummern 6 bis 11 behandelt.

'May I *ask* you a question?' Mike said to Joe. 'I *have been asked* to give a lecture. Would it *be asking* too much if I took a few days off? I *would have asked* last week, but you were out.'

»Darf ich Sie etwas *fragen*?« sagte Mike zu Joe. »Man *hat* mich *gebeten*, eine Vorlesung zu halten. Ist es zuviel *verlangt*, wenn ich mir ein paar Tage freinehmen würde? Ich *hätte* Sie schon früher *gefragt*, aber Sie waren nicht da.«

Betty *had asked* her colleagues to lunch. Everyone *had been asked* to confirm. Some people needed *to ask* for directions.

Betty *hatte* ihre Kollegen zum Mittagessen *eingeladen*. Alle *waren gebeten worden*, zu- oder abzusagen. Einige Leute mußten sich nach dem Weg *erkundigen*.

She *greeted* him and rode towards the ditch which *had been marked* as dangerous. He *would have helped*, but she *had* already *jumped*. The horse fell and *was groaning* loudly while *it was being checked* by the vet. She *will* probably *be limping* for a while, but the horse *was* soon *walking* quite normally.

Sie *grüßte* ihn und ritt auf den Graben zu, der als gefährlich *beschildert worden war*. Er *hätte geholfen*, aber sie *war* bereits *gesprungen*. Das Pferd stürzte und *stöhnte* laut, während es vom Tierarzt *untersucht wurde*. Sie *wird* wahrscheinlich eine Zeitlang *humpeln*, aber das Pferd *lief* schon bald wieder ganz normal.

Unregelmäßiges Hilfs- und Vollverb mit vier Formen – Muster 1–2–2

INFINITIV/IMPERATIV	*PRÄTERITUM*
have/have!	had

PRÄSENS	*PRÄTERITUM*
I have	I had
you have	you had
he/she/it has	he/she/it had
we have	we had
you have	you had
they have	they had

FUTUR	*KONDITIONAL*
I will (shall) have	I would (should) have
you will have	you would have
he/she/it will have	he/she/it would have
we will (shall) have	we would (should) have
you will have	you would have
they will have	they would have

PRESENT PERFECT	*PLUSQUAMPERFEKT*
I have had	I had had
you have had	you had had
he/she/it has had	he/she/it had had
we have had	we had had
you have had	you had had
they have had	they had had

FUTUR PERFEKT	*KONDITIONAL PERFEKT*
I will (shall) have had	I would (should) have had
you will have had	you would have had
he/she/it will have had	he/she/it would have had
we will (shall) have had	we would (should) have had
you will have had	you would have had
they will have had	they would have had

PARTIZIP PRÄSENS	*PARTIZIP PERFEKT*
having	had

VERLAUFSFORMEN

PRÄSENS

I am having
you are having
he/she/it is having
we are having
you are having
they are having

PRÄTERITUM

I was having
you were having
he/she/it was having
we were having
you were having
they were having

FUTUR

I will (shall) be having
you will be having
he/she/it will be having
we will (shall) be having
you will be having
they will be having

KONDITIONAL

I would (should) be having
you would be having
he/she/it would be having
we would (should) be having
you would be having
they would be having

PRESENT PERFECT

I have been having
you have been having
he/she/it has been having
we have been having
you have been having
they have been having

PLUSQUAMPERFEKT

I had been having
you had been having
he/she/it had been having
we had been having
you had been having
they had been having

FUTUR PERFEKT

I will (shall) have been having
you will have been having
he/she/it will have been having
we will (shall) have been having
you will have been having
they will have been having

KONDITIONAL PERFEKT

I would (should) have been having
you would have been having
he/she/it would have been having
we would (should) have been having
you would have been having
they would have been having

N.B.:   **Have** als Hilfsverb wird zur Bildung des *Present Perfect*, Plusquamperfekt, Futur Perfekt und Konditional Perfekt sowohl in den einfachen als auch den Verlaufsformen, im Aktiv und im Passiv verwendet.

I *used to have* two cars, but one of them *had to* go. The other one *had to have* a new engine, and they *haven't* yet finished.

Früher hatte ich zwei Autos, aber eines davon *mußte* weg. Das andere *mußte* einen neuen Motor *bekommen,* und sie *sind* damit noch *nicht* fertig.

'We*'re having* some friends over for dinner. *Have* you *had* anything to eat yet?' – 'No, but I*'ve got* too much on. I *shall have* to go soon.'

»Wir *haben* ein paar Freunde zum Abendessen *eingeladen. Hast* du schon *gegessen?*« – »Nein, aber ich *habe* zuviel zu tun. Ich *muß* jetzt bald gehen.«

'We*'ll have* this painting, please. Could you *have* it sent to us?' – 'Will you *be having* anything else from the gallery?' – 'No, I think we *have* enough.'

»Wir *hätten* gern dieses Gemälde. Könnten Sie es uns zuschicken *lassen?*« – »*Möchten* Sie sonst noch etwas aus der Galerie?« – »Nein, ich denke, wir *haben* genug«.

'She *is having* his baby.' – 'But *hasn't* he *got* other commitments?' – 'That*'s* never held him back!'

»Sie *ist* von ihm schwanger.« – »*Ist* er denn *nicht* anderweitig gebunden?« – »Das *hat* ihn noch nie gestört!«

'You paid 100 pounds for that?! You*'ve been had*!'

»Du hast 100 Pfund dafür bezahlt?! *Man hat* dich übers Ohr gehauen!«

They all went on a cruise together and a good time *was had* by all.

Sie gingen alle zusammen auf eine Kreuzfahrt, und alle *hatten* viel Spaß.

Unregelmäßiges Hilfs- und Vollverb mit fünf Formen – Muster 1–2–3

INFINITIV/IMPERATIV	*PRÄTERITUM*
do/do!	did

PRÄSENS	*PRÄTERITUM*
I do	I did
you do	you did
he/she/it does	he/she/it did
we do	we did
you do	you did
they do	they did

FUTUR	*KONDITIONAL*
I will (shall) do	I would (should) do
you will do	you would do
he/she/it will do	he/she/it would do
we will (shall) do	we would (should) do
you will do	you would do
they will do	they would do

PRESENT PERFECT	*PLUSQUAMPERFEKT*
I have done	I had done
you have done	you had done
he/she/it has done	he/she/it had done
we have done	we had done
you have done	you had done
they have done	they had done

FUTUR PERFEKT	*KONDITIONAL PERFEKT*
I will (shall) have done	I would (should) have done
you will have done	you would have done
he/she/it will have done	he/she/it would have done
we will (shall) have done	we would (should) have done
you will have done	you would have done
they will have done	they would have done

PARTIZIP PRÄSENS	**PARTIZIP PERFEKT**
doing	done

VERLAUFSFORMEN

PRÄSENS	**PRÄTERITUM**
I am doing	I was doing
you are doing	you were doing
he/she/it is doing	he/she/it was doing
we are doing	we were doing
you are doing	you were doing
they are doing	they were doing

FUTUR	**KONDITIONAL**
I will (shall) be doing	I would (should) be doing
you will be doing	you would be doing
he/she/it will be doing	he/she/it would be doing
we will (shall) be doing	we would (should) be doing
you will be doing	you would be doing
they will be doing	they would be doing

PRESENT PERFECT	**PLUSQUAMPERFEKT**
I have been doing	I had been doing
you have been doing	you had been doing
he/she/it has been doing	he/she/it had been doing
we have been doing	we had been doing
you have been doing	you had been doing
they have been doing	they had been doing

FUTURE PERFEKT	**KONDITIONAL PERFEKT**
I will (shall) have been doing	I would (should) have been doing
you will have been doing	you would have been doing
he/she/it will have been doing	he/she/it would have been doing
we will (shall) have been doing	we would (should) have been doing
you will have been doing	you would have been doing
they will have been doing	they would have been doing

N.B.:   **Do** als Hilfsverb wird zur Bildung von Fragen, der Negation und der Betonung verwendet sowie in Bestätigungsfragen.

'What *does* Mike *do*?' – 'He's an engineer.'

»Was *macht* Mike *(beruflich)?*« – »Er ist Ingenieur.«

'What *is* Mike *doing*?' – 'He's redecorating the hall.'

»Was *macht* Mike *(zur Zeit)*?« – »Er streicht die Diele neu.«

'What *is* he *doing* these days?' – 'He *is doing* English at university. He *would have done* French, but he *didn't do* very well in his exams.'

»Was *macht* er dieser Tage?« – »Er *studiert* Englisch an der Universität. Er *hätte* Französisch *studiert*, aber er *hat* in den Prüfungen nicht so gut *abgeschnitten.* «

The dog *was being done* by the vet. It *doesn't do* to put it off.

Der Hund *wurde* vom Tierarzt *kastriert.* Es *bringt nichts,* das aufzuschieben.

'She works in town, *doesn't* she?' – '*Does* she? I thought she'd married a rich man.' – 'She *did, did* she? It *won't do.* He'*ll be done out of* all his money by her.'

»Sie arbeitet in der Stadt, *nicht wahr?*« – »*Wirklich*? Ich dachte, sie hätte einen reichen Mann geheiratet.« – »*Das hat sie doch, oder*? Das *ist nicht gut.* Sie *wird* ihn um sein ganzes Geld *bringen.*«

'*Did* you go to the whispering gallery in St. Paul's Cathedral?'

»*Bist* du zur Flüstergalerie in der St. Pauls Kathedrale gegangen?«

'*Do* shut up, will you?'

»Sei *doch* endlich still!«

'I *don't* want to be nosy, but *doesn't* he have any family obligations?' – 'He did have, but he doesn't now.'

»Ich will ja *nicht* neugierig sein, aber *hat* er denn keine familiäre Verpflichtungen?« – »Früher hatte er welche, aber jetzt nicht mehr.«

'Why *haven't* you *done* the washing up?'

»Warum *hast* du noch *nicht* abgewaschen?«

'That *does* it! You'*re* not *doing* any more partying until you've *done* your exam revisions.'

»Jetzt *reichts.* Du *wirst* erst wieder auf Parties *gehen,* wenn du für deine Prüfung *wiederholt hast.*«

Unregelmäßiges Hilfs- und Vollverb mit acht Formen

INFINITIV/IMPERATIV	**PRÄTERITUM**
be/be!	was, were

PRÄSENS	**PRÄTERITUM**
I am	I was
you are	you were
he/she/it is	he/she/it was
we are	we were
you are	you were
they are	they were

FUTUR	**KONDITIONAL**
I will (shall) be	I would (should) be
you will be	you would be
he/she/it will be	he/she/it would be
we will (shall) be	we would (should) be
you will be	you would be
they will be	they would be

PRESENT PERFECT	**PLUSQUAMPERFEKT**
I have been	I had been
you have been	you had been
he/she/it has been	he/she/it had been
we have been	we had been
you have been	you had been
they have been	they had been

FUTUR PERFEKT	**KONDITIONAL PERFEKT**
I will (shall) have been	I would (should) have been
you will have been	you would have been
he/she/it will have been	he/she/it would have been
we will (shall) have been	we would (should) have been
you will have been	you would have been
they will have been	they would have been

PARTIZIP PRÄSENS	*PARTIZIP PERFEKT*
being	been

VERLAUFSFORMEN

PRÄSENS

I am being
you are being
he/she/it is being
we are being
you are being
they are being

PRÄTERITUM

I was being
you were being
he/she/it was being
we were being
you were being
they were being

FUTUR

I will (shall) be being
you will be being
he/she/it will be being
we will (shall) be being
you will be being
they will be being

KONDITIONAL

I would (should) be being
you would be being
he/she/it would be being
we would (should) be being
you would be being
they would be being

PRESENT PERFECT

I have been being
you have been being
he/she/it has been being
we have been being
you have been being
they have been being

PLUSQUAMPERFEKT

I had been being
you had been being
he/she/it had been being
we had been being
you had been being
they had been being

FUTUR PERFEKT

I will (shall) have been being
you will have been being
he/she/it will have been being
we will (shall) have been being
you will have been being
they will have been being

KONDITIONAL PERFEKT

I would (should) have been being
you would have been being
he/she/it would have been being
we would (should) have been being
you would have been being
they would have been being

N.B.: Be als Hilfsverb wird zur Bildung der Verlaufsformen und des Passiv verwendet.

'How *are* you?' – 'I *am* fine. I *would be* much better, but the children *are being* very difficult. And how *are* you?' – 'I'*m* cold. That'*s* why we *are about to* go to the Canaries.' – '*Are* you *going to* write us a card?'

»Wie *geht es* dir?« – »Gut, danke. Es *würde* mir noch viel besser *gehen*, aber die Kinder *bereiten* mir *(im Moment)* viele Probleme. Und wie *geht's* dir?« – »Mir *ist* kalt. Das *ist* auch der Grund, warum wir auf die Kanarischen Inseln *fahren*.« – »*Schreibst* du uns eine Karte?«

Mike *is* from Purley, I *was* born in Berlin.

Mike *kommt* aus Purley, ich *bin* in Berlin geboren.

She *was being* extra careful, but the glasses *were* soon broken.

Sie *war* sehr vorsichtig, aber die Gläser *waren* schon bald kaputt.

It *would have been* a nice day, if the sun had been shining.

Es *wäre* ein schöner Tag *gewesen*, wenn die Sonne geschienen hätte.

'You *are to* go and see the boss.' – '*Are* you certain? What *is* it about?' – 'He *was* quite angry. You'*ll be* able to find out for yourself.'

»Du *sollst* dich beim Chef melden.« – »*Bist* du dir sicher? Worum *geht* es?« – »Er *war* recht verärgert. Du *wirst* es schon selbst herausfinden.«

Das Verb **ask** wird hier in allen Tempora im Passiv gezeigt.
Das Passiv wird im Englischen mit einer Form des Hilfsverbs **be**
»sein« und dem Partizip Perfekt ausgedrückt.

PRÄSENS
I am asked
you are asked
he/she/it is asked
we are asked
you are asked
they are asked

PRÄTERITUM
I was asked
you were asked
he/she/it was asked
we were asked
you were asked
they were asked

FUTUR
I will (shall) be asked
you will be asked
he/she/it will be asked
we will (shall) be asked
you will be asked
they will be asked

KONDITIONAL
I would (should) be asked
you would be asked
he/she/it would be asked
we would (should) be asked
you would be asked
they would be asked

PRESENT PERFECT
I have been asked
you have been asked
he/she/it has been asked
we have been asked
you have been asked
they have been asked

PLUSQUAMPERFEKT
I had been asked
you had been asked
he/she/it had been asked
we had been asked
you had been asked
they had been asked

FUTUR PERFEKT
I will (shall) have been asked
you will have been asked
he/she/it will have been asked
we will (shall) have been asked
you will have been asked
they will have been asked

KONDITIONAL PERFEKT
I would (should) have been asked
you would have been asked
he/she/it would have been asked
we would (should) have been asked
you would have been asked
they would have been asked

VERLAUFSFORMEN

PRÄSENS	*PRÄTERITUM*
I am being asked	I was being asked
you are being asked	you were being asked
he/she/it is being asked	he/she/it was being asked
we are being asked	we were being asked
you are being asked	you were being asked
they are being asked	they were being asked

Die folgenden Formen sind theoretisch möglich, werden aber in der Praxis selten oder nie gebraucht.

FUTUR	*KONDITIONAL*
I will (shall) be being asked	I would (should) be being asked

PRESENT PERFECT	*PLUSQUAMPERFEKT*
I have been being asked	I had been being asked

FUTUR PERFEKT	*KONDITIONAL PERFEKT*
I will (shall) have been being asked	I would (should) have been being asked

Ursula *is* often *asked* why she moved back to Germany.	Ursula *wird* oft *gefragt*, warum sie nach Deutschland zurückgezogen ist.
Joanna *will be asked* some difficult questions in her exams.	In der Prüfung *wird man* Joanna ein paar schwierige Fragen *stellen*.
'Your car *is being fitted* with a new exhaust. It will be ready tonight.'	» *Man baut gerade* einen neuen Auspuff in Ihr Auto *ein*. Heute abend ist es fertig.«
The extra profits *were shared out* equally between all the directors.	Der zusätzliche Profit *wurde* zu gleichen Teilen auf alle Direktoren *verteilt*.
'Your luggage *will be taken care of* by the bellboys.'	»Die Hotelpagen *werden sich* um Ihr Gepäck *kümmern*.«
Dad *would have been sent* on a Mediterranean cruise, if it *hadn't* already *been booked up*.	Vati *wäre* auf eine Mittelmeer-Kreuzfahrt *geschickt worden*, wenn sie nicht bereits *ausgebucht gewesen wäre*.
If the raid *had been made* the next day, the hostage *would have been being tortured* for more than a month.	*Hätte man* den Angriff am nächsten Tag *vorgenommen*, dann *wäre* die Geisel mehr als einen Monat *gefoltert worden*.
What *is to be done* about the next shipment?	Was *sollen wir* bezüglich der nächsten Verschiffung *unternehmen*?
Tomorrow, I *am getting* my back *X-rayed*. I *am having* the results *sent* to my GP.	Morgen *wird* mir der Rücken *geröntgt*. Ich *lasse* die Ergebnisse meinem Hausarzt *zuschicken*.
The MP *is* probably *going to be deselected* by his constituency.	Der Abgeordnete *wird* in seinem Wahlkreis wahrscheinlich *nicht wieder aufgestellt werden*.

Regelmäßiges Verb mit vier Formen – Muster 1–2–2

INFINITIV/IMPERATIV	PRÄTERITUM
love/love!	loved

PRÄSENS	PRÄTERITUM
I love	I loved
you love	
he/she/it loves	
we love	
you love	
they love	

FUTUR	KONDITIONAL
I will (shall) love	I would (should) love

PRESENT PERFECT	PLUSQUAMPERFEKT
I have loved	I had loved

FUTUR PERFEKT	KONDITIONAL PERFEKT
I will (shall) have loved	I would (should) have loved

VERBEN, DIE DEMSELBEN MUSTER FOLGEN

admire	bewundern
advise	(be)raten
base	basieren
browse	durchblättern
charge	(Preis) verlangen
consume	verbrauchen
erase	(aus)löschen
like	mögen, lieben
note (down)	aufschreiben, notieren
replace	ersetzen
rumble	rumpeln
save	retten
tape	aufnehmen; umwickeln

N.B.: Verben, die auf **-e** enden, verlieren das **-e** in der **ed**-Form (Präteritum und Partizip Perfekt) sowie in der **ing**-Form (Partizip Präsens): **-d**, **-ing**. Viele Verben folgen demselben Muster.

PARTIZIP PRÄSENS	PARTIZIP PERFEKT
loving	loved

VERLAUFSFORMEN

PRÄSENS	PRÄTERITUM
I am loving	I was loving
FUTUR	**KONDITIONAL**
I will (shall) be loving	I would (should) be loving
PRESENT PERFECT	**PLUSQUAMPERFEKT**
I have been loving	I had been loving
FUTUR PERFEKT	**KONDITIONAL PERFEKT**
I will (shall) have been loving	I would (should) have been loving

---

'I'*ll* always *love* you,' she *confided.*

»Ich *werde* dich immer *lieben*«, *gestand* sie.

Mum *is loved* and *admired* by all her colleagues. She *loves* parties. She*'s loving* every minute of this one: she is the centre of attention.

Mutti *wird* von ihren ganzen Kollegen *geliebt* und *bewundert.* Sie *liebt* Parties. Sie *genießt* jede Minute dieser Party: Sie steht im Mittelpunkt.

'Would you *like* a drink?' – 'I'*d love* one.'

»*Möchtest* du etwas trinken?« – »Ja, *sehr gerne.*«

Dad's last car *consumed* too much petrol, and the engine *rumbled.* It couldn't *be saved* and had to *be replaced.*

Vatis letztes Auto *verbrauchte* zuviel Benzin, und der Motor *rumpelte.* Es konnte nicht mehr *gerettet werden* und mußte *ersetzt werden.*

Norbert *is taping* a radio programme. He*'s noting* down the bands' names, and *erasing* the previous recording.

Norbert *nimmt* eine Radiosendung *auf.* Er *schreibt* die Namen der Gruppen *auf* und *löscht* die vorherige Aufnahme.

7 miss — (ver)missen, fehlen

Regelmäßiges Verb mit vier Formen – Muster 1–2–2

INFINITIV/IMPERATIV	PRÄTERITUM
miss/miss!	missed

PRÄSENS	PRÄTERITUM
I miss	I missed
you miss	
he/she/it *misses*	
we miss	
you miss	
they miss	

FUTUR	KONDITIONAL
I will (shall) miss	I would (should) miss

PRESENT PERFECT	PLUSQUAMPERFEKT
I have missed	I had missed

FUTUR PERFEKT	KONDITIONAL PERFEKT
I will (shall) have missed	I would (should) have missed

VERBEN, DIE DEMSELBEN MUSTER FOLGEN

dress	(sich) anziehen, kleiden
guess	raten, vermuten
mix	mixen, mischen
polish	polieren
varnish	lackieren
wash	waschen
watch	sehen, beobachten

N.B.: Verben, deren Grundform auf einen Zischlaut endet – wie z.B. **-sh**, **-zz**, **-x**, **-th** – nehmen in der 3. Person Präsens eine silbische **s**-Form an: **-es**.

PARTIZIP PRÄSENS	*PARTIZIP PERFEKT*
missing	missed

VERLAUFSFORMEN

PRÄSENS	*PRÄTERITUM*
I am missing	I was missing
FUTUR	*KONDITIONAL*
I will (shall) be missing	I would (should) be missing
PRESENT PERFECT	*PLUSQUAMPERFEKT*
I have been missing	I had been missing
FUTUR PERFEKT	*KONDITONAL PERFEKT*
I will (shall) have been missing	I would (should) have been missing

Mike *will be missing* this year's Christmas party. He *will be missed* by his colleagues, but he *wouldn't have missed out* on his holidays for anything. We almost *missed* the booking deadline. I hope we *won't miss* our plane.

Mike *wird* dieses Jahr die Weihnachtsfeier *verpassen*. Er *wird* seinen Kollegen *fehlen*, aber er *hätte* seinen Urlaub um nichts *missen wollen*. Wir *haben* beinahe den letzten Termin für die Buchung *verpaßt*. Hoffentlich *werden* wir unser Flugzeug nicht *verpassen*.

Jo often *watches* television while she *is varnishing* her fingernails.

Jo *sieht* oft fern, während sie *sich* die Fingernägel *lackiert*.

Norbert always *dresses* according to the latest fashion.

Norbert *kleidet sich* immer nach der neuesten Mode.

Carsten *washes* and *polishes* his car every Saturday.

Jeden Samstag *wäscht* und *poliert* Carsten sein Auto.

I *guess* Dad *is mixing* you a new cocktail.

Ich *vermute*, daß Vati dir einen neuen Cocktail *mixt*.

Regelmäßiges Verb mit vier Formen – Muster 1–2–2

INFINITIV/IMPERATIV	PRÄTERITUM
beg/beg!	begged

PRÄSENS	PRÄTERITUM
I beg	I begged
you beg	
he/she/it begs	
we beg	
you beg	
they beg	

FUTUR	KONDITIONAL
I will (shall) beg	I would (should) beg

PRESENT PERFECT	PLUSQUAMPERFEKT
I have begged	I had begged

FUTUR PERFEKT	KONDITIONAL PERFEKT
I will (shall) have begged	I would (should) have begged

VERBEN, DIE DEMSELBEN MUSTER FOLGEN

compel	zwingen	**lag (behind)**	zurückbleiben
drag	schleppen,	**panic**	in Panik geraten
	ziehen	**prod**	knuffen
gag	knebeln	**shop**	einkaufen
hug	umarmen		(gehen)
jam	stören,	**stab**	erstechen
	blockieren	**stop**	stehenbleiben,
jog	rennen, joggen		stoppen
kidnap	entführen	**submit**	sich ergeben

N.B.: Fast alle Verben, die auf einen einzelnen Konsonanten – **-l**, **-t**, **-d**, **-p**, **-b**, **-g** – enden, verdoppeln diesen Konsonanten zur Bildung der **ed**-Form (Präteritum und Partizip Perfekt) und der **ing**-Form (Partizip Präsens): z. B. **-lled**, **-tting**, **-bbed**.

Ausnahme: Verben, die auf **-c** enden, verdoppeln diesen Konsonanten zu **-ck-** (z.B. **panic, panicked, panicking; picnic, picnicked, picknicking**).

PARTIZIP PRÄSENS	*PARTIZIP PERFEKT*
begging	begged

VERLAUFSFORMEN

PRÄSENS	*PRÄTERITUM*
I am begging	I was begging

FUTUR	*KONDITIONAL*
I will (shall) be begging	I would (should) be begging

PRESENT PERFECT	*PLUSQUAMPERFEKT*
I have been begging	I had been begging

FUTUR PERFEKT	*KONDITIONAL PERFEKT*
I will (shall) have been begging	I would (should) have been begging

---

Sue *had been begging* Chris *to go shopping* with her. He didn't have *to be dragged* to the shops. He *had been jogging* ahead, so Sue *was lagging* behind. When she *prodded* him, he *stopped* and *hugged* her.

Sue *hatte* Chris *gebeten*, mit ihr *einkaufen zu gehen*. Er mußte nicht in die Läden *geschleppt werden*. Er *war vorausgerannt*, so daß Sue *zurückblieb*. Als sie ihn *knuffte*, *blieb* er *stehen* und *umarmte* sie.

The politician *had been kidnapped*. He *was gagged* and *compelled* to listen to the terrorists. They *had jammed* his mobile phone. He *was panicking*. He *would have been stabbed* if he *hadn't submitted* to their demands.

Der Politiker *war entführt worden*. Er *wurde geknebelt* und *war gezwungen*, den Terroristen zuzuhören. Sie *hatten* sein tragbares Telefon *betriebsunfähig gemacht*. Er *geriet in Panik*. Er *wäre erstochen worden*, wenn er nicht ihren Forderungen *entsprochen hätte*.

Regelmäßiges Verb mit vier Formen – Muster 1–2–2

INFINITIV/IMPERATIV	*PRÄTERITUM*
free/free!	freed

PRÄSENS	*PRÄTERITUM*
I free	I freed
you free	
he/she/it frees	
we free	
you free	
they free	

FUTUR	*KONDITIONAL*
I will (shall) free	I would (should) free

PRESENT PERFECT	*PLUSQUAMPERFEKT*
I have freed	I had freed

FUTUR PERFEKT	*KONDITIONAL PERFEKT*
I will (shall) have freed	I would (should) have freed

VERBEN, DIE DEMSELBEN MUSTER FOLGEN

agree	zustimmen
disagree	nicht übereinstimmen
guarantee	garantieren
referee	Schiedsrichter sein

N.B.: Die **s**-Form und die **ing**-Form werden wie im Musterverb **ask** gebildet, aber die **ed**-Form (Präteritum und Partizip Perfekt) erhält nur ein verstümmeltes **-d**.

PARTIZIP PRÄSENS	*PARTIZIP PERFEKT*
freeing	freed

VERLAUFSFORMEN

PRÄSENS	*PRÄTERITUM*
I am freeing	I was freeing

FUTUR	*KONDITIONAL*
I will (shall) be freeing	I would (should) be freeing

PRESENT PERFECT	*PLUSQUAMPERFEKT*
I have been freeing	I had been freeing

FUTUR PERFEKT	*KONDITIONAL PERFEKT*
I will (shall) have been freeing	I would (should) have been freeing

---

The Home Secretary *agreed to free* the prisoners. They should *have been freed* a long time ago, but their safety couldn't *be guaranteed.*	Der Innenminister *gab seine Zustimmung*, die Häftlinge *freizulassen. Man hätte* sie schon lange *freilassen sollen*, aber *man hatte* ihnen keine Sicherheit *garantieren* können.
The soccer game *was being refereed* by a local man and the visiting footballers found themselves *disagreeing* with many of his decisions.	Ein Einheimischer *war Schiedsrichter* bei dem Fußballspiel, und die auswärts spielenden Fußballer konnten mit vielen seiner Entscheidungen *nicht übereinstimmen.*

Regelmäßiges Verb mit vier Formen – Muster 1–2–2

INFINITIV/IMPERATIV	*PRÄTERITUM*
carry/carry!	carried

PRÄSENS	*PRÄTERITUM*
I carry	I carried
you carry	
he/she/it carries	
we carry	
you carry	
they carry	

FUTUR	*KONDITIONAL*
I will (shall) carry	I would (should) carry

PRESENT PERFECT	*PLUSQUAMPERFEKT*
I have carried	I had carried

FUTUR PERFEKT	*KONDITIONAL PERFEKT*
I will (shall) have carried	I would (should) have carried

VERBEN, DIE DEMSELBEN MUSTER FOLGEN

amplify	verstärken
apply	anwenden; sich bewerben
bully	schikanieren
cry	weinen
marry	heiraten
spy	spionieren
study	studieren, lernen von
terrify	Angst einjagen
testify	(vor Gericht) aussagen
tidy (up)	säubern; verbessern
try	(aus)probieren, versuchen

Verben, die auf **-y** enden (aber nicht auf **-ay**, **-ey** oder **-oy**!), bilden die **ing**-Form (Partizip Präsens) wie das Musterverb **ask**, verwandeln aber das **-y** in der **s**-Form (3. Person Singular Präsens) und in der **ed**-Form (Präteritum und Partizip Perfekt) in ein **-i-**: z.B. **cries**, **cried**.

PARTIZIP PRÄSENS	PARTIZIP PERFEKT
carrying	carried

VERLAUFSFORMEN

PRÄSENS	PRÄTERITUM
I am carrying	I was carrying

FUTUR	KONDITIONAL
I will (shall) be carrying	I would (should) be carrying

PRESENT PERFECT	PLUSQUAMPERFEKT
I have been carrying	I had been carrying

FUTUR PERFEKT	KONDITIONAL PERFEKT
I will (shall) have been carrying	I would (should) have been carrying

---

Daniel *carried on* drumming. The sound *carried* for miles: it *was amplified* by two speakers, *supplied* by a specialist shop. He *was applying* the same beat he *had tried out* before. He *had* definitely *tidied up* his act.

Daniel trommelte *weiter.* Der Klang *wurde* meilenweit *getragen*: Er *wurde* von zwei Lautsprechern *verstärkt*, die ein Spezialgeschäft *geliefert hatte.* Er *verwendete* denselben Takt, den er vorher *probiert hatte.* Er *hatte* seinen Auftritt eindeutig *verbessert*.

The young woman *had been crying* all night. Now she *testified* in court. She *had been married* against her will, and *was supposed to be spying* on her husband. Every day she *was bullied* by secret agents. Their threats *terrified* her.

Die junge Frau *hatte* die ganze Nacht *geweint.* Nun *sagte* sie vor Gericht *aus.* Sie *war* gegen ihren Willen *verheiratet worden* und *spionierte* angeblich ihrem Mann *nach.* Täglich *wurde* sie von Geheimagenten *schikaniert.* Deren Drohungen *jagten* ihr *Angst ein.*

Regelmäßiges Verb mit vier Formen – Muster 1–2–2

INFINITIV/IMPERATIV	***PRÄTERITUM***
die/die!	died

PRÄSENS	***PRÄTERITUM***
I die	I died
you die	
he/she/it dies	
we die	
you die	
they die	

FUTUR	***KONDITIONAL***
I will (shall) die	I would (should) die

PRESENT PERFECT	***PLUSQUAMPERFEKT***
I have died	I had died

FUTUR PERFEKT	***KONDITIONAL PERFEKT***
I will (shall) have died	I would (should) have died

VERBEN, DIE DEMSELBEN MUSTER FOLGEN

belie	Lügen strafen
lie*	lügen
tie (up)	zuschnüren
untie	aufschnüren
vie	wetteifern

N.B.:   Verben, die auf **-ie** enden, bilden die **ed**-Form (Präteritum und Partizip Perfekt) mit einem verstümmelten **-d** und verwandeln zur Bildung des Partizip Präsens das **-ie** in ein **-y**.

* Das unregelmäßige Verb **lie** (liegen) folgt dem Muster 35 (siehe unten).

PARTIZIP PRÄSENS	PARTIZIP PERFEKT
dying	died

VERLAUFSFORMEN

PRÄSENS	PRÄTERITUM
I am dying	I was dying

FUTUR	KONDITIONAL
I will (shall) be dying	I would (should) be dying

PRESENT PERFECT	PLUSQUAMPERFEKT
I have been dying	I had been dying

FUTUR PERFEKT	KONDITIONAL PERFEKT
I will (shall) have been dying	I would (should) have been dying

---

'I'm afraid he*'s dying*!'	»Ich fürchte, er *liegt im Sterben*!«
The large fern *had died on* him.	Der große Farn *war* ihm *eingegangen*.
Mike *was dying* for a beer.	Mike *brauchte unbedingt* ein Bier.
He*'d been lying* to her for years, but she*'d been lied to* so often, she no longer cared.	Er *hatte* sie jahrelang *belogen*, aber *man hatte* sie so oft *belogen*, daß es ihr mittlerweile egal war.
They *were vying* for her attention.	Sie *wetteiferten* um ihre Aufmerksamkeit.
Her face *belied* what she said.	Ihr Gesichtsausdruck *strafte* sie *Lügen*.
Little Helen *had been untying* her own shoelaces for some time; now she*'d tied* them *up* by herself for the first time.	Klein-Helen *hatte* schon eine Zeitlang ihre Schnürsenkel *aufgemacht*; nun *hatte* sie sie zum ersten Mal selbst *zugebunden*.

Unregelmäßiges Verb mit vier Formen – Muster 1–1–2

INFINITIV/IMPERATIV	*PRÄTERITUM*
beat/beat!	beat

PRÄSENS	*PRÄTERITUM*
I beat	I beat
you beat	
he/she/it beats	
we beat	
you beat	
they beat	

FUTUR	*KONDITIONAL*
I will (shall) beat	I would (should) beat

PRESENT PERFECT	*PLUSQUAMPERFEKT*
I have beaten	I had beaten

FUTUR PERFEKT	*KONDITIONAL PERFEKT*
I will (shall) have beaten	I would (should) have beaten

 VERBEN, DIE NICHT DEMSELBEN MUSTER FOLGEN

cheat	betrügen
eat	essen
meet	treffen, kennenlernen

The convict *was being beaten up* by his cell-mates, when the guard arrived.

Der Gefangene *wurde gerade* von seinen Zellgenossen *zusammengeschlagen*, als der Aufseher dazukam.

Lesley's heart *was beating* with joy when she saw David.

Lesleys Herz *schlug* höher, als sie David erblickte.

Julie *beat* Steve at chess. He didn't mind *being beaten.*

Julie *schlug* Steve im Schach. Es machte ihm nichts aus, *geschlagen zu werden.*

| **PARTIZIP PRÄSENS**
beating | **PARTIZIP PERFEKT**
beaten |

VERLAUFSFORMEN

PRÄSENS I am beating	**PRÄTERITUM** I was beating
FUTUR I will (shall) be beating	**KONDITIONAL** I would (should) be beating
PRESENT PERFECT I have been beating	**PLUSQUAMPERFEKT** I had been beating
FUTUR PERFEKT I will (shall) have been beating	**KONDITIONAL PERFEKT** I would (should) have been beating

---

Sandra *is beating* the deadline.	Sandra *wird* vor dem Ablieferungstermin (damit) *fertig sein*.
Steve *was beating* the champion. The reporters commented: 'The champion *is being beaten*. No trophy this time. Steve *has beaten* him to it.'	Steve *war dabei, den Titelinhaber zu schlagen*. Die Reporter berichteten: »Der Titelinhaber *wird gerade geschlagen*. Diesmal bekommt er keine Trophäe. Steve *ist* ihm *zuvorgekommen*.«
Phil *had beaten* the price *down*.	Phil *hatte* den Preis *heruntergehandelt*.
The rain *was beating down*, but they *weren't to be beaten* easily.	Der Regen *prasselte nur so herunter*, aber sie *gaben sich* nicht leicht *geschlagen*.

Unregelmäßiges Verb mit vier Formen – Muster 1–2–3

INFINITIV/IMPERATIV	*PRÄTERITUM*
begin/begin!	began

PRÄSENS	*PRÄTERITUM*
I begin	I began
you begin	
he/she/it begins	
we begin	
you begin	
they begin	

FUTUR	*KONDITIONAL*
I will (shall) begin	I would (should) begin

PRESENT PERFECT	*PLUSQUAMPERFEKT*
I have begun	I had begun

FUTUR PERFEKT	*KONDITIONAL PERFEKT*
I will (shall) have begun	I would (should) have begun

VERBEN, DIE DEMSELBEN MUSTER FOLGEN

spin	spinnen; schleudern

ÄHNLICHE VERBEN

drink	trinken	**sink**	sinken
ring	klingeln	**spring**	(ent)springen
shrink	schrumpfen	**stink**	stinken
sing	singen	**swim**	schwimmen

 ### VERBEN, DIE NICHT DEMSELBEN MUSTER FOLGEN

bin	wegwerfen	**win**	gewinnen
sin	sündigen		

'Quick, sit down, the film *has just begun*.'	»Schnell, setz dich hin, der Film *hat* gerade *angefangen*.«

PARTIZIP PRÄSENS	*PARTIZIP PERFEKT*
beginning	begun

VERLAUFSFORMEN

PRÄSENS	*PRÄTERITUM*
I am beginning	I was beginning
FUTUR	**KONDITIONAL**
I will (shall) be beginning	I would (should) be beginning
PRESENT PERFECT	**PLUSQUAMPERFEKT**
I have been beginning	I had been beginning
FUTUR PERFEKT	**KONDITIONAL PERFEKT**
I will (shall) have been beginning	I would (should) have been beginning

'I'*m beginning* to understand what this is all about!'	»*Langsam* verstehe ich, worum es sich hier dreht!«
'Oh Mum! Do we have to go? I *was* just *beginning* to enjoy myself!'	»Oh, Mutti! Müssen wir wirklich gehen? *Es hat gerade angefangen*, mir Spaß zu machen!«
Slowly, he *began* to turn the wheel.	Langsam *fing* er *an*, das Rad zu drehen.
'I *am going to begin* by summarizing yesterday's lesson.'	»*Zuerst werde* ich die gestrige Stunde zusammenfassen.«
The children *had shrunk* to the size of breadcrumbs.	Die Kinder *waren* auf die Größe von Brotkrümeln *geschrumpft*.
Everyone *had been drinking*, and Lesley and Phil *were singing* Christmas carols.	Alle *hatten getrunken*, und Lesley und Phil *waren dabei*, Weihnachtslieder *zu singen*.

Unregelmäßiges Verb mit fünf Formen – Muster 1–2–3

INFINITIV/IMPERATIV	*PRÄTERITUM*
break/break!	broke

PRÄSENS	*PRÄTERITUM*
I break	I broke
you break	
he/she/it breaks	
we break	
you break	
they break	

FUTUR	*KONDITIONAL*
I will (shall) break	I would (should) break

PRESENT PERFECT	*PLUSQUAMPERFEKT*
I have broken	I had broken

FUTUR PERFEKT	*KONDITIONAL PERFEKT*
I will (shall) have broken	I would (should) have broken

VERBEN, DIE DEMSELBEN MUSTER FOLGEN

speak [1]	sprechen	**wake (up)** [2]	(er)wecken; aufwachen

[1] **speak** und **break** folgen in der Schreibweise demselben Konjugationsmuster und werden im Präteritum und Partizip Perfekt ähnlich ausgesprochen; sie unterscheiden sich jedoch in der Aussprache des Präsens: **speak** <spi:k> ; **break** <breik>.

[2] **wake** und **break** unterscheiden sich in der Schreibweise des Präsens, werden jedoch ähnlich ausgesprochen.

 ### VERBEN, DIE NICHT DEMSELBEN MUSTER FOLGEN

leak	auslaufen	**take**	nehmen
make	machen		

All the china *had been broken* *by* rowdy party-goers.	Das ganze Geschirr *war* von randalierenden Partygästen *zerbrochen worden*.

PARTIZIP PRÄSENS	*PARTIZIP PERFEKT*
breaking	broken

VERLAUFSFORMEN

PRÄSENS	*PRÄTERITUM*
I am breaking	I was breaking

FUTUR	*KONDITIONAL*
I will (shall) be breaking	I would (should) be breaking

PRESENT PERFECT	*PLUSQUAMPERFEKT*
I have been breaking	I had been breaking

FUTUR PERFEKT	*KONDITIONAL PERFEKT*
I will (shall) have been breaking	I would (should) have broken

The supergrass was shot because he *had broken* the code of silence.	Der Topinformant wurde erschossen, weil er den Ehrenkodex des Schweigens *gebrochen hatte*.
I hope you*'re not going to break* your promises.	Ich hoffe, du *hältst dich* an deine Versprechen.
Parliament *is breaking up* for the summer recess.	Das Parlament *geht* in die Sommerpause.
Ursula has managed *to break* her habit of smoking.	Ursula hat es geschafft, sich das Rauchen *abzugewöhnen*.
Police! Please come quickly! My neighbour's flat *is being broken into*.	Polizei! Bitte kommen Sie schnell! *Man bricht gerade* in die Wohnung meines Nachbarn *ein*.
As soon as she had woken up, Carol woke her sister.	Sowie sie *aufgewacht war*, weckte Carol ihre Schwester.

Unregelmäßiges Verb mit vier Formen – Muster 1–2–2

INFINITIV/IMPERATIV	***PRÄTERITUM***
bring/bring!	brought

PRÄSENS	***PRÄTERITUM***
I bring	I brought
you bring	
he/she/it brings	
we bring	
you bring	
they bring	

FUTUR	***KONDITIONAL***
I will (shall) bring	I would (should) bring

PRESENT PERFECT	***PLUSQUAMPERFEKT***
I have brought	I had brought

FUTUR PERFEKT	***KONDITIONAL PERFEKT***
I will (shall) have brought	I would (should) have brought

VERBEN, DIE DEMSELBEN MUSTER FOLGEN

think denken

ÄHNLICHE VERBEN

catch fangen
buy kaufen
teach lehren

 VERBEN, DIE NICHT DEMSELBEN MUSTER FOLGEN

fling werfen
sing singen
sting stechen

'Who *are* you *bringing* to the party? You can only *bring* one guest.'	»Wen *bringst* du denn zur Party mit? Du darfst nur einen Gast *mitbringen*.«

PARTIZIP PRÄSENS	*PARTIZIP PERFEKT*
bringing	brought

VERLAUFSFORMEN

PRÄSENS	*PRÄTERITUM*
I am bringing	I was bringing
FUTUR	*KONDITIONAL*
I will (shall) be bringing	I would (should) be bringing
PRESENT PERFECT	*PLUSQUAMPERFEKT*
I have been bringing	I had been bringing
FUTUR PERFEKT	*KONDITIONAL PERFEKT*
I will (shall) have been bringing	I would (should) have been bringing

---

'*Could* you *bring* the meeting *forward* by one week?'**	»*Könnten* Sie die Besprechung um eine Woche *vorverlegen*?«
He *was being brought around* by the fresh air.	Die frische Luft *brachte* ihn wieder *zu Bewußtsein*.
The miners *had been brought out* on strike.	Die Bergarbeiter *waren* zum Streik *herausgeholt worden*.
My parents *are bringing* out a new record. Mum's songs *brought* the house down in the last concert.	Meine Eltern *bringen* eine neue Schallplatte *heraus*. Muttis Lieder *waren ein Bombenerfolg* beim letzten Konzert.
It's not easy *to bring up* children./It's not easy *bringing up* children.	Kinder *großzuziehen* ist nicht einfach.
'I *thought* you were feeling unwell?!'	»Ich *dachte*, du fühlst dich nicht wohl?!«

71

Unregelmäßiges Verb mit vier Formen – Muster 1–2–2

INFINITIV/IMPERATIV	*PRÄTERITUM*
buy/buy!	bought

PRÄSENS	*PRÄTERITUM*
I buy	I bought
you buy	
he/she/it buys	
we buy	
you buy	
they buy	

FUTUR	*KONDITIONAL*
I will (shall) buy	I would (should) buy

PRESENT PERFECT	*PLUSQUAMPERFEKT*
I have bought	I had bought

FUTUR PERFEKT	*KONDITIONAL PERFEKT*
I will (shall) have bought	I would (should) have bought

ÄHNLICHE VERBEN

bring*	bringen
catch	fangen
teach	lehren
think*	denken

* Diese Verben bilden Präteritum und Partizip Perfekt auf dieselbe Weise wie **buy**.

 VERBEN, DIE NICHT DEMSELBEN MUSTER FOLGEN

cling	kleben
stink	stinken
string	knüpfen

PARTIZIP PRÄSENS	PARTIZIP PERFEKT
buying	bought

VERLAUFSFORMEN

PRÄSENS	PRÄTERITUM
I am buying	I was buying

FUTUR	KONDITIONAL
I will (shall) be buying	I would (should) be buying

PRESENT PERFECT	PLUSQUAMPERFEKT
I have been buying	I had been buying

FUTUR PERFEKT	KONDITIONAL PERFEKT
I will (shall) have been buying	I would (should) have been buying

---

Norbert *is buying* a Scottish castle. He *has* already *bought* period furniture, and tomorrow he *will buy back* portraits of the castle's ancestors at an auction. The estate *had to be bought* quickly, as hotel chains *were buying up* all old properties.

Norbert *ist dabei,* ein schottisches Schloß *zu kaufen.* Er *hat* bereits Möbel aus der Zeit *erstanden,* und morgen *wird* er die Porträts der Schloßahnherren auf einer Auktion *zurückkaufen.* Das Gut *mußte* schnell *gekauft werden,* weil Hotelketten *dabei waren,* alle alten Häuser *aufzukaufen.*

I *don't buy* that!

Das *glaub'* ich *nicht*!

Sale goods *are being bought* faster than other stock.

Die Ausverkaufsware *verkauft sich* schneller als die übrige Ware.

Chris *is going to buy* a new car. He *would like to buy* a Ferrari, but he*'ll* probably *buy* an Escort instead.

Chris *wird* ein neues Auto *kaufen. Am liebsten würde* er einen Ferrari *kaufen,* aber wahrscheinlich *wird* er stattdessen einen Escort *kaufen.*

Unregelmäßiges Verb mit vier Formen – Muster 1–2–2

INFINITIV/IMPERATIV	*PRÄTERITUM*
catch/catch!	caught

PRÄSENS	*PRÄTERITUM*
I catch	I caught
you catch	
he/she/it catches	
we catch	
you catch	
they catch	

FUTUR	*KONDITIONAL*
I will (shall) catch	I would (should) catch

PRESENT PERFECT	*PLUSQUAMPERFEKT*
I have caught	I had caught

FUTUR PERFEKT	*KONDITIONAL PERFEKT*
I will (shall) have caught	I would (should) have caught

ÄHNLICHE VERBEN

buy	kaufen	**teach** *	lehren
bring	bringen	**think**	denken

* Dieses Verb bildet Präteritum und Partizip Perfekt auf dieselbe Weise wie **catch**.

 VERBEN, DIE NICHT DEMSELBEN MUSTER FOLGEN

hatch	ausschlüpfen
match	angleichen

By the time she was four Vanessa *was catching* the ball every time.	Sowie sie vier Jahre alt war, *fing* Vanessa den Ball jedes Mal.
Trout *is* no longer *being caught* in this river.	In diesem Fluß *kann man* keine Forellen mehr *fangen*.

PARTIZIP PRÄSENS	**PARTIZIP PERFEKT**
catching	caught

VERLAUFSFORMEN

PRÄSENS
I am catching

PRÄTERITUM
I was catching

FUTUR
I will (shall) be catching

KONDITIONAL
I would (should) be catching

PERFEKT
I have been catching

PLUSQUAMPERFEKT
I had been catching

FUTUR PERFEKT
I will (shall) have been catching

KONDITIONAL PERFEKT
I would (should) have been catching

I hope this fashion *won't catch on*.

Ich hoffe, diese Mode *wird sich nicht durchsetzen*.

Lewis seemed *to be catching* the cold which Janet *had caught* off their children.

Lewis schien *sich* die Erkältung *zuzuziehen*, die Janet *sich* von den Kindern *geholt hatte*.

Many criminals *are* never *caught* by the police. Pete was lucky: he *had* already *caught* the main ring leader, but he was still trying *to catch* two of his accomplices. The gang boss *had been caught out*. While he *was catching* his breath at a street corner, an officer *caught sight* of him.

Viele Kriminelle *werden* nie von der Polizei *gefaßt*. Pete hatte Glück: Er *hatte* bereits den Anführer der Bande *geschnappt*, aber er bemühte sich immer noch, zwei von dessen Komplizen *zu ergreifen*. Der Bandenchef *war erwischt worden*. Während er an einer Straßenecke *verschnaufte*, *erblickte* ihn ein Polizeibeamter.

Unregelmäßiges Verb mit vier Formen – Muster 1–2–1

INFINITIV/IMPERATIV	**PRÄTERITUM**
come/come!	came

PRÄSENS	**PRÄTERITUM**
I come	I came
you come	
he/she/it comes	
we come	
you come	
they come	

FUTUR	**KONDITIONAL**
I will (shall) come	I would (should) come
PRESENT PERFECT	**PLUSQUAMPERFEKT**
I have come	I had come
FUTUR PERFEKT	**KONDITIONAL PERFEKT**
I will (shall) have come	I would (should) have come

VERBEN, DIE DEMSELBEN MUSTER FOLGEN

become	werden
overcome	besiegen, überwältigen

 VERBEN, DIE NICHT DEMSELBEN MUSTER FOLGEN

home (in)	sich ausrichten auf

'*Do come* to dinner.'	»Bitte *komm doch* zum Abendessen.«
He'*d been coming* to aerobics every Thursday. In the end he *came* to enjoy it.	Er *war* jeden Donnerstag zum Aerobic *gekommen*. Schließlich *machte* es ihm sogar Spaß.
'*Will* Rosie and John *be coming* to the party?'	»*Werden* Rosie und John zur Party *kommen*?«

PARTIZIP PRÄSENS
coming

PARTIZIP PERFEKT
come

VERLAUFSFORMEN

PRÄSENS
I am coming

PRÄTERITUM
I was coming

FUTUR
I will (shall) be coming

KONDITIONAL
I would (should) be coming

PRESENT PERFECT
I have been coming

PLUSQUAMPERFEKT
I had been coming

FUTUR PERFEKT
I will (shall) have been coming

KONDITIONAL PERFEKT
I would (should) have been coming

'Pete *has come* to paint the windows. He *might come* tomorrow, too, but he *won't be coming* next week.' – 'How *come* he *didn't come* last week?' – 'He *would have come*, but he *was overcome* by flu.'

»Pete *ist gekommen*, um die Fenster zu streichen. Vielleicht *kommt* er morgen auch, aber nächste Woche *wird* er nicht *kommen*.« – »Wie *kommt's*, daß er letzte Woche nicht *gekommen ist*?« – »Er *wäre gekommen*, aber ihn *hatte* die Grippe *erwischt*.«

When Claudia *became* mayor, she *became* very pompous.

Als Claudia Bürgermeisterin *wurde*, *wurde* sie sehr aufgeblasen.

'What'*s become* of Terry and Maud?' – 'They *should be coming* any minute.'

»Was *ist* mit Terry und Maud *los*?« – »Sie *sollten* jede Minute *eintreffen*.«

'*Come* and dance. The kilt really *becomes* you.'

»*Komm*, laß uns tanzen. Der Kilt *steht* dir wirklich *gut*.«

Unregelmäßiges Verb mit drei Formen – Muster 1–1–1

INFINITIV/ IMPERATIV	*PRÄTERITUM*
cut/cut!	cut

PRÄSENS	*PRÄTERITUM*
I cut	I cut
you cut	
he/she/it cuts	
we cut	
you cut	
they cut	

FUTUR	*KONDITIONAL*
I will (shall) cut	I would (should) cut

PRESENT PERFECT	*PLUSQUAMPERFEKT*
I have cut	I had cut

FUTUR PERFEKT	*KONDITIONAL PERFEKT*
I will (shall) have cut	I would (should) have cut

VERBEN, DIE DEMSELBEN MUSTER FOLGEN

bet	wetten	**quit**	aufhören,
burst	platzen		verlassen
cast	werfen	**recut**	neu schneiden
cost	kosten	**rid**	befreien,
hit	schlagen		loswerden
hurt	verletzen,	**set**	setzen, legen
	weh tun	**shed**	abwerfen
let	lassen;	**shut**	schließen
	vermieten	**split**	spalten
put	legen, setzen,	**spread**	verbreiten
	stellen		

N.B.:   Alle Verben, die diesem Muster folgen, enden auf **-t** oder **-d** und sind (außer Zusammensetzungen wie **recut**) einsilbig.

 VERBEN, DIE NICHT DEMSELBEN MUSTER FOLGEN

get	bekommen	**sit**	sitzen
host	bewirten		

PARTIZIP PRÄSENS	*PARTIZIP PERFEKT*
cutting	cut

VERLAUFSFORMEN

PRÄSENS	*PRÄTERITUM*
I am cutting	I was cutting

FUTUR	*KONDITIONAL*
I will (shall) be cutting	I would (should) be cutting

PRESENT PERFECT	*PLUSQUAMPERFEKT*
I have been cutting	I had been cutting

FUTUR PERFEKT	*KONDITIONAL PERFEKT*
I will (shall) have been cutting	I would (should) have been cutting

Daniel *cut* his finger while *cutting* the cake. He *had cut* small notches beforehand, so he *could cut* it more easily. The day before, the cake *had been cut* by an assistant, but he was so clumsy that he *won't be cutting* it again!

Daniel *schnitt* sich in den Finger, während er den Kuchen *zerteilte*. Er *hatte* schon vorher kleine Kerben *eingeschnitten*, damit er ihn leichter *aufteilen konnte*. Am Vortag *war* der Kuchen von einem Assistenten *aufgeteilt worden*, aber er stellte sich dabei derart ungeschickt an, daß er ihn *nie* wieder *zerteilen wird*!

The German workers want their working hours *to be cut*.

Die deutschen Arbeiter wollen, daß ihre Arbeitszeit *verkürzt wird*..

'Can you see where the road *cuts* through the hillside? *Cut* across this field and you will get there.'

»Sehen Sie, wo die Straße über den Hügel *führt*? *Gehen* Sie (*quer*) über dieses Feld, und Sie kommen dorthin.«

Unregelmäßiges Verb mit fünf Formen – Muster 1–2–3

INFINITIV/IMPERATIV	*PRÄTERITUM*
draw/draw!	drew

PRÄSENS	*PRÄTERITUM*
I draw	I drew
you draw	
he/she/it draws	
we draw	
you draw	
they draw	

FUTUR	*KONDITIONAL*
I will (shall) draw	I would (should) draw

PRESENT PERFECT	*PLUSQUAMPERFEKT*
I have drawn	I had drawn

FUTUR PERFEKT	*KONDITIONAL PERFEKT*
I will (shall) have drawn	I would (should) have drawn

VERBEN, DIE DEMSELBEN MUSTER FOLGEN

overdraw	(Konto) überziehen
withdraw	zurückziehen

 VERBEN, DIE NICHT DEMSELBEN MUSTER FOLGEN

gnaw	nagen
saw	sägen
thaw	tauen

'What does Daniel do?' – 'He **draws** animals and birds.'	»Was macht Daniel (beruflich)?« – »Er *ist* Tier- und Vogel*zeichner*.«
'Why **are** you **drawing** a picture of Mickey Mouse?'	»Warum *zeichnest* du ein Bild von Micky Maus?«
'I'**ll draw** you a map of where I live.'	»Ich *werde* dir *aufzeichnen*, wo ich wohne.«

PARTIZIP PRÄSENS	**PARTIZIP PERFEKT**
drawing	drawn

VERLAUFSFORMEN

PRÄSENS	**PRÄTERITUM**
I am drawing	I was drawing

FUTUR	**KONDITIONAL**
I will (shall) be drawing	I would (should) be drawing

PRESENT PERFECT	**PLUSQUAMPERFEKT**
I have been drawing	I had been drawing

FUTUR PERFEKT	**KONDITIONAL PERFEKT**
I will (shall) have been drawing	I would (should) have been drawing

---

Mike *has drawn* a pattern on his shirt.	Mike *hat* ein Muster auf sein Hemd *gezeichnet*.
The barman *was drawing* a fresh pint for her, when she *drew out* a gun. She *could draw* faster than anyone else in the West.	Der Barmann *war dabei*, ihr ein frisches Bier *zu zapfen*, als sie eine Pistole *hervorzog*. Sie *konnte* schneller *ziehen* als alle anderen im Westen.
The debate *was being* deliberately *drawn out*.	Die Debatte *wurde* absichtlich *in die Länge gezogen*.
He*'d drawn* a blank.	Er *hatte* eine Niete *gezogen*.
She *has overdrawn* her account yet again.	Sie *hat* schon wieder ihr Konto *überzogen*.

Unregelmäßiges Verb mit fünf Formen – Muster 1–2–3

INFINITIV/IMPERATIV drive/drive!	*PRÄTERITUM* drove

PRÄSENS I drive you drive he/she/it drives we drive you drive they drive	*PRÄTERITUM* I drove

FUTUR I will (shall) drive	*KONDITIONAL* I would (should) drive

PRESENT PERFECT I have driven	*PLUSQUAMPERFEKT* I had driven

FUTUR PERFEKT I will (shall) have driven	*KONDITIONAL PERFEKT* I would (should) have driven

---

VERBEN, DIE DEMSELBEN MUSTER FOLGEN

strive	sich bemühen um, streben
thrive *	gedeihen

> * Dieses Verb kann außerdem die Form **thrived** im Präteritum und Partizip Perfekt annehmen, nach dem Konjugationsmuster 6.

ÄHNLICHE VERBEN

rise	aufgehen; sich erheben
arise	entstehen, stammen von

 VERBEN, DIE NICHT DEMSELBEN MUSTER FOLGEN

give	geben
live	leben
deprive	jmdm. etwas entziehen

PARTIZIP PRÄSENS	PARTIZIP PERFEKT
driving	driven

VERLAUFSFORMEN

PRÄSENS	PRÄTERITUM
I am driving	I was driving

FUTUR	KONDITIONAL
I will (shall) be driving	I would (should) be driving

PRESENT PERFECT	PLUSQUAMPERFEKT
I have been driving	I had been driving

FUTUR PERFEKT	KONDITIONAL PERFEKT
I will (shall) have been driving	I would (should) have been driving

'*Do* you *drive*?'	»*Hast* du *einen Führerschein*?«
'What *did* he *drive*?'	»Was für ein Auto *hat* er *gefahren*?«
'What *are* you *driving at*?'	»Was *willst* du damit *sagen*?/Worauf willst du hinaus?«
The Queen *was being driven* in the State Coach. Every year they *drive* her from the Palace to the Houses of Parliament.	Die Königin *wurde* in der Staatskutsche *gefahren*. Jedes Jahr *fährt man* sie vom Palast zum Parlamentsgebäude.
She *had been driven* to it: her husband *had been driving* her mad for years. Finally she *drove* a knife into his body. Then she *drove off*, up the motorway.	Sie *war* dazu *getrieben worden:* Ihr Ehemann *hatte* sie seit Jahren verrückt *gemacht*. Schließlich *stieß* sie ihm ein Messer in den Körper. Dann *fuhr* sie auf der Autobahn *davon*.

Unregelmäßiges Verb mit fünf Formen – Muster 1–2–3

INFINITIV/IMPERATIV	*PRÄTERITUM*
fall/fall!	fell

PRÄSENS	*PRÄTERITUM*
I fall	I fell
you fall	
he/she/it falls	
we fall	
you fall	
they fall	

FUTUR	*KONDITIONAL*
I will (shall) fall	I would (should) fall

PRESENT PERFECT	*PLUSQUAMPERFEKT*
I have fallen	I had fallen

FUTUR PERFEKT	*KONDITIONAL PERFEKT*
I will (shall) have fallen	I would (should) have fallen

VERBEN, DIE DEMSELBEN MUSTER FOLGEN

befall   (lit.) sich zutragen, widerfahren

⚠ *VERBEN, DIE NICHT DEMSELBEN MUSTER FOLGEN*

enthrall   begeistern
stall   hinauszögern; (Motor) abwürgen

Daniel *had fallen in love* with one of his colleagues.	Daniel *hatte sich* in eine seiner Kolleginnen *verliebt*.
It's autumn: the leaves *are falling*.	Es ist Herbst: die Blätter *fallen*.
'Careful, *don't fall* over the cable. Yesterday, somebody *fell* and broke a leg.'	»Vorsicht, *fall nicht* über das Kabel. Gestern *ist* jemand *gefallen* und hat sich das Bein gebrochen.«

PARTIZIP PRÄSENS	*PARTIZIP PERFEKT*
falling	fallen

VERLAUFSFORMEN

PRÄSENS	*PRÄTERITUM*
I am falling	I was falling

FUTUR	*KONDITIONAL*
I will (shall) be falling	I would (should) be falling

PRESENT PERFECT	*PLUSQUAMPERFEKT*
I have been falling	I had been falling

FUTUR PERFEKT	*KONDITIONAL PERFEKT*
I will (shall) have been falling	I would (should) have been falling

Every summer, dozens of tourists *fall* to their deaths in the mountains.	Jeden Sommer kommen Dutzende von Touristen *bei Abstürzen* in den Bergen ums Leben.
She *was falling* further and further *behind* with her work.	Sie *geriet* immer mehr *in Rückstand* mit ihrer Arbeit.
The roof *is about to fall in* and the front wall *is falling down*.	Das Dach *steht kurz davor, einzustürzen*, und die Vordermauer *ist dabei, umzufallen*.
He *had fallen* very *ill*. It *fell* to the doctor to tell his relatives.	Er *war* schwer *erkrankt*. Es *fiel* dem Arzt zu/*war Aufgabe* des Arztes, es seinen Verwandten mitzuteilen.

Unregelmäßiges Verb mit vier Formen – Muster 1–2–2

INFINITIV/IMPERATIV feel/feel!	*PRÄTERITUM* felt

PRÄSENS I feel you feel he/she/it feels we feel you feel they feel	*PRÄTERITUM* I felt

FUTUR I will (shall) feel	*KONDITIONAL* I would (should) feel

PRESENT PERFECT
I have felt

PLUSQUAMPERFEKT
I had felt

FUTUR PERFEKT
I will (shall) have felt

KONDITIONAL PERFEKT
I would (should) have felt

VERBEN, DIE DEMSELBEN MUSTER FOLGEN

kneel   knien

ÄHNLICHE VERBEN

creep	kriechen	**leap**	springen
deal	verteilen; handeln	**mean** **sleep**	bedeuten schlafen
dream	träumen	**sweep**	fegen
keep	(be)halten	**weep**	weinen
lean	lehnen		

 VERBEN, DIE NICHT DEMSELBEN MUSTER FOLGEN

peep	(hervor)gucken	**steep**	tauchen
reap	ernten		

PARTIZIP PRÄSENS	*PARTIZIP PERFEKT*
feeling	felt

VERLAUFSFORMEN

PRÄSENS	*PRÄTERITUM*
I am feeling	I was feeling

FUTUR	*KONDITIONAL*
I will (shall) be feeling	I would (should) be feeling

PRESENT PERFECT	*PLUSQUAMPERFEKT*
I have been feeling	I had been feeling

FUTUR PERFEKT	*KONDITIONAL PERFEKT*
I will (shall) have been feeling	I would (should) have been feeling

---

She *felt* relaxed with the customers, and they *felt* cared for.	Sie *war* ungezwungen im Umgang mit den Kunden, und diese *fühlten* sich umsorgt.
Fred *had been feeling* ill for quite a while before he went into hospital. He still *doesn't feel* like going to work. Perhaps he'll return next week, if he *feels up to* it.	Fred *hatte sich schon* eine Weile unwohl *gefühlt*, bevor er ins Krankenhaus ging. Er *hat* noch *keine Lust,* arbeiten zu gehen. Vielleicht kommt er nächste Woche wieder, wenn er *sich* (der Arbeit) *gewachsen fühlt*.
A tiny dinosaur *crept* into his room. It *was sweeping* the floor with its tail when a rat *dealt* it a heavy blow. Daniel *leapt* off his bed – he *had been dreaming*.	Ein winziger Dinosaurier *kroch* in sein Zimmer. Er *fegte gerade* den Boden mit seinem Schwanz, als ihm eine Ratte einen heftigen Schlag *erteilte*. Daniel *sprang* von seinem Bett hoch – er *hatte geträumt*.

Unregelmäßiges Verb mit vier Formen – Muster 1–2–2

INFINITIV/IMPERATIV	*PRÄTERITUM*
find/find!	found

PRÄSENS	*PRÄTERITUM*
I find	I found
you find	
he/she/it finds	
we find	
you find	
they find	

FUTUR	*KONDITIONAL*
I will (shall) find	I would (should) find

PRESENT PERFECT	*PLUSQUAMPERFEKT*
I have found	I had found

FUTUR PERFEKT	*KONDITIONAL PERFEKT*
I will (shall) have found	I would (should) have found

VERBEN, DIE DEMSELBEN MUSTER FOLGEN

bind	(ver)binden
grind	mahlen
wind	(auf)wickeln

 VERBEN, DIE NICHT DEMSELBEN MUSTER FOLGEN

mind	beachten, sich in acht nehmen

Edeltrud *couldn't find* Michael and Thomas anywhere.	Edeltrud *konnte* Michael und Thomas *nirgends finden.*
'Neil *is finding out* all about France.' – '*Did* he *find* it easy to settle there?' – 'He *has found* the French very hospitable.'	»Neil *ist dabei,* alles über Frankreich *zu erfahren.*« – »*Hat* er es einfach *gefunden,* sich dort niederzulassen?« – »Er *hat* die Franzosen als sehr gastfreundlich *empfunden.*«

PARTIZIP PRÄSENS	*PARTIZIP PERFEKT*
finding	found

VERLAUFSFORMEN

PRÄSENS	*PRÄTERITUM*
I am finding	I was finding

FUTUR	*KONDITIONAL*
I will (shall) be finding	I would (should) be finding

PRESENT PERFECT	*PLUSQUAMPERFEKT*
I have been finding	I had been finding

FUTUR PERFEKT	*KONDITIONAL PERFEKT*
I will (shall) have been finding	I would (should) have been finding

'*Did* the jury *find* for the accused?' – 'No, the two boys *were found* guilty.'	»*Haben sich* die Geschworenen im Sinne der Angeklagten *entschieden*?« – »Nein, die zwei Jungen *wurden* schuldig *gesprochen*.«
'When I *find* myself in times of trouble...' (John Lennon)	»Wenn ich mich in Schwierigkeiten *befinde*...«
While Francis *was winding* the old clock up, Marie *ground* some fresh coffee.	Während Francis die alte Uhr *aufzog, mahlte* Marie frischen Kaffee.

Unregelmäßiges Verb mit vier Formen – Muster 1–2–2

INFINITIV/IMPERATIV	*PRÄTERITUM*
get/get!	got

PRÄSENS	*PRÄTERITUM*
I get	I got
you get	
he/she/it gets	
we get	
you get	
they get	

FUTUR	*KONDITIONAL*
I will (shall) get	I would (should) get

PRESENT PERFECT	*PLUSQUAMPERFEKT*
I have got	I had got

FUTUR PERFEKT	*KONDITIONAL PERFEKT*
I will (shall) have got	I would (should) have got

N.B.: Im Amerikanischen Englisch hat dieses Verb fünf Formen mit dem Muster 1–2–3: **get–got–gotten**.

ÄHNLICHE VERBEN

beget *	(veraltet) zeugen
forget *	vergessen
tread *	treten

* Diese Verben nehmen ähnliche Formen an wie **get** im Amerikanischen Englisch: **gotten, forgotten, begotten**.

 VERBEN, DIE NICHT DEMSELBEN MUSTER FOLGEN

bet	wetten
let	lassen
set	setzen, stellen, legen

PARTIZIP PRÄSENS	PARTIZIP PERFEKT
getting	got

VERLAUFSFORMEN

PRÄSENS	PRÄTERITUM
I am getting	I was getting

FUTUR	KONDITIONAL
I will (shall) be getting	I would (should) be getting

PRESENT PERFECT	PLUSQUAMPERFEKT
I have been getting	I had been getting

FUTUR PERFEKT	KONDITIONAL PERFEKT
I will (shall) have been getting	I would (should) have been getting

---

'What *should* we *get* for Mum and Dad this Christmas?'

»Was *sollen* wir Mutti und Vati zu Weihnachten *schenken*?«

Sieglinde and Helmut *have got* their new shop, but they *aren't getting* as much help as they need. This *has got* to change.

Sieglinde und Helmut *haben* ihren neuen Laden, aber sie *bekommen* nicht soviel Unterstützung, wie sie brauchen. Das *muß* sich ändern.

Asko *forgot* to take his umbrella. Now he's *got* a cold.

Asko *hat vergessen*, seinen Regenschirm mitzunehmen. Nun *hat* er *sich erkältet*.

'What'*s got* into you?' shouted Robert. 'You'*re getting* on my nerves,' replied Alex.

»Was *ist denn* mit dir *los*?« rief Robert. »Du *gehst* mir auf die Nerven«, antwortete Alex.

Jonathan *would have got* in touch with Gillian, but he *had forgotten* her phone number.

Jonathan *hätte sich* mit Gillian in Verbindung *gesetzt*, aber er *hatte* ihre Telefonnummer *vergessen*.

Unregelmäßiges Verb mit fünf Formen – Muster 1–2–3

INFINITIV/IMPERATIV	PRÄTERITUM
give/give!	gave

PRÄSENS	PRÄTERITUM
I give	I gave
you give	
he/she/it gives	
we give	
you give	
they give	

FUTUR	KONDITIONAL
I will (shall) give	I would (should) give

PRESENT PERFECT	PLUSQUAMPERFEKT
I have given	I had given

FUTUR PERFEKT	KONDITIONAL PERFEKT
I will (shall) have given	I would (should) have given

VERBEN, DIE DEMSELBEN MUSTER FOLGEN

forgive   vergeben, verzeihen

ÄHNLICHE VERBEN

forbid   verbieten

 ### VERBEN, DIE NICHT DEMSELBEN MUSTER FOLGEN

dive   tauchen
live   leben
strive (for)   sich bemühen (um), streben (nach)

Jo *was given* a book to read on holiday. She *gave* it a try, but as she doesn't like it, she *is going to give* it *away*.

Man hatte Jo ein Buch als Ferienlektüre *gegeben*. Sie *fing an, darin zu lesen*, aber weil es ihr nicht gefällt, *wird* sie es *weggeben*.

PARTIZIP PRÄSENS
giving

PARTIZIP PERFEKT
given

VERLAUFSFORMEN

PRÄSENS
I am giving

PRÄTERITUM
I was giving

FUTUR
I will (shall) be giving

KONDITIONAL
I would (should) be giving

PRESENT PERFECT
I have been giving

PLUSQUAMPERFEKT
I had been giving

FUTUR PERFEKT
I will (shall) have been giving

KONDITIONAL PERFEKT
I would (should) have been giving

'Do give her my best wishes.'

»*Bitte grüße* sie ganz herzlich von mir.«

Barbara *is going to give* philosophy lessons.

Barbara *wird* Philosophieunterricht *geben.*

Every time she visits the dentist, she*'s given* a lecture about oral hygiene.

Jedesmal, wenn sie zum Zahnarzt geht, *hält er ihr* einen Vortrag über Mundhygiene.

She *wasn't going to give up* that quickly.

So schnell *wollte* sie *nicht aufgeben.*

The engine *was given to* cutting out every time Joanna stopped.

Der Motor *pflegte* jedesmal abzusterben, wenn Joanna anhielt.

'Please *forgive* me. I didn't know that *it was forbidden* to enter the grounds.'

»Bitte *verzeihen* Sie mir! Ich wußte nicht, daß der Zugang zum Grundstück *verboten war.*«

Unregelmäßiges Verb mit fünf Formen – Muster 1–2–3

INFINITIV/IMPERATIV	*PRÄTERITUM*
go/go!	went

PRÄSENS	*PRÄTERITUM*
I go	I went
you go	
he/she/it goes	
we go	
you go	
they go	

FUTUR	*KONDITIONAL*
I will (shall) go	I would (should) go

PRESENT PERFECT	*PLUSQUAMPERFEKT*
I have gone	I had gone

FUTUR PERFEKT	*KONDITIONAL PERFEKT*
I will (shall) have gone	I would (should) have gone

VERBEN, DIE DEMSELBEN MUSTER FOLGEN

forego	verzichten auf
undergo	durchmachen

 VERBEN, DIE NICHT DEMSELBEN MUSTER FOLGEN

radio	funken, senden
video	auf Video aufnehmen

'Where *did* Adrian *go*?' – 'He *went* to Devon. He wants *to go* sailing.' – '*Is* he *going* to Paris for Christmas?' – 'No, he'*ll be going* to Manchester.'	»Wohin *ist* Adrian *gefahren*?« – »Er *ist* nach Devon *gefahren*. Er will segeln *gehen*.« – »*Wird* er Weihnachten nach Paris *fahren*?« – »Nein, er *wird* nach Manchester *fahren*.«
The cake *has* all *gone*.	Der Kuchen *ist* weg/aufgegessen *worden*.

PARTIZIP PRÄSENS	**PARTIZIP PERFEKT**
going	gone

VERLAUFSFORMEN

PRÄSENS	**PRÄTERITUM**
I am going	I was going

FUTUR	**KONDITIONAL**
I will (shall) be going	I would (should) be going

PRESENT PERFECT	**PLUSQUAMPERFEKT**
I have been going	I had been going

FUTUR PERFEKT	**KONDITIONAL PERFEKT**
I will (shall) have been going	I would (should) have been going

I'*m going to* invite Chris and Sue. I hope it'*s going to* be possible for them to come.	Ich *werde* Chris und Sue einladen. Ich hoffe, daß sie es *einrichten können*, zu kommen.
That car *is going* too fast.	Das Auto da *fährt* zu schnell.
Going, going, gone! (Auction)	Zum ersten, zum zweiten, zum dritten! (Auktion)
Go ahead! Make my day! (Clint Eastwood)	*Na los*! Mach mir die Freude!
Where *do* we *go* from here?	Wohin *gehen* wir jetzt? (wörtlich)/Wie *machen* wir jetzt weiter? (übertragen)
Will Gaye *be going* by Tube?	*Wird* Gaye mit der U-Bahn *fahren*?
That *would have gone down* like a lead balloon.	Das *wäre* nicht besonders gut *angekommen*.

28 hear · hören

Unregelmäßiges Verb mit vier Formen – Muster 1–2–2

INFINITIV/IMPERATIV	PRÄTERITUM
hear/hear!	heard

PRÄSENS	PRÄTERITUM
I hear	I heard
you hear	
he/she/it hears	
we hear	
you hear	
they hear	

FUTUR	KONDITIONAL
I will (shall) hear	I would (should) hear

PRESENT PERFECT	PLUSQUAMPERFEKT
I have heard	I had heard

FUTUR PERFEKT	KONDITIONAL PERFEKT
I will (shall) have heard	I would (should) have heard

VERBEN, DIE DEMSELBEN MUSTER FOLGEN

overhear — zufällig hören

VERBEN, DIE NICHT DEMSELBEN MUSTER FOLGEN

fear — fürchten
tear — reißen
wear — tragen

She *was hearing* voices.	Sie *hörte* Stimmen.
Robert *heard* Helen singing in the kitchen.	Robert *hörte* Helen in der Küche singen.
Have you heard the latest gossip?	*Hast* du *schon* den neuesten Klatsch *gehört*?
The 'News Quiz' *could be heard* even in Upper Bavaria.	Das »News Quiz« *konnte man* selbst in Oberbayern *empfangen*.

PARTIZIP PRÄSENS	**PARTIZIP PERFEKT**
hearing	heard

VERLAUFSFORMEN

PRÄSENS	**PRÄTERITUM**
I am hearing	I was hearing

FUTUR	**KONDITIONAL**
I will (shall) be hearing	I would (should) be hearing

PRESENT PERFECT	**PLUSQUAMPERFEKT**
I have been hearing	I had been hearing

FUTUR PERFEKT	**KONDITIONAL PERFEKT**
I will (shall) have been hearing	I would (should) have been hearing

---

You'll be hearing from my solicitor!	Sie *werden* von meinem Anwalt *hören*!
Do hear me *out*.	Laß mich *doch erst mal ausreden*.
Barbara *had heard* of a new device which allowed her *to hear* animals speak. Suddenly she *could hear* what the birds were saying, and she *was overhearing* the most amazing stories.	Barbara *hatte* von einem neuen Gerät *gehört*, das es ihr ermöglichte, den Tieren *zuzuhören*. Plötzlich *konnte* sie *hören*, was die Vögel sagten, und *zufällig hörte* sie die unglaublichsten Geschichten.

29 hold   halten

Unregelmäßiges Verb mit vier Formen – Muster 1–2–2

INFINITIV/IMPERATIV	***PRÄTERITUM***
hold/hold!	held

PRÄSENS	***PRÄTERITUM***
I hold	I held
you hold	
he/she/it holds	
we hold	
you hold	
they hold	

FUTUR	***KONDITIONAL***
I will (shall) hold	I would (should) hold

PRESENT PERFECT	***PLUSQUAMPERFEKT***
I have held	I had held

FUTUR PERFEKT	***KONDITIONAL PERFEKT***
I will (shall) have held	I would (should) have held

VERBEN, DIE DEMSELBEN MUSTER FOLGEN

uphold	unterstützen; wahren
withhold	zurückhalten

 VERBEN, DIE NICHT DEMSELBEN MUSTER FOLGEN

fold	falten
scold	schelten

The Christmas Party *used to be held* in the canteen, but the new place *won't hold* a large enough crowd. This year *we'll be holding* it in a large hall.

He *withheld* vital information.

Früher wurde die Weihnachtsfeier *immer* in der Kantine *abgehalten*, aber in die neue Kantine *passen nicht* genug Leute. Dieses Jahr *werden* wir sie in einem großen Saal *feiern*.

Er *hat* wesentliche Informationen *zurückbehalten*.

PARTIZIP PRÄSENS	*PARTIZIP PERFEKT*
holding	held

VERLAUFSFORMEN

PRÄSENS	*PRÄTERITUM*
I am holding	I was holding

FUTUR	*KONDITIONAL*
I will (shall) be holding	I would (should) be holding

PRESENT PERFECT	*PLUSQUAMPERFEKT*
I have been holding	I had been holding

FUTUR PERFEKT	*KONDITIONAL PERFEKT*
I will (shall) have been holding	I would (should) have been holding

---

Marie *had been held up* by the traffic. She *was* still *holding* her coat, when the President *held out* his hand to greet her.

A cabinet minister *was held* responsible for the accident. His passenger *was being held* as a witness for the prosecution.

Marie *war* im Verkehr *aufgehalten worden*. Sie *hielt* noch *immer* ihren Mantel in der Hand, als der Präsident seine Hand *ausstreckte*, um sie zu begrüßen.

Ein Kabinettminister *wurde* für den Unfall verantwortlich *gemacht*. Seine Mitfahrerin *wurde* als Zeugin für die Anklage *in Gewahrsam gehalten*.

Unregelmäßiges Verb mit vier Formen – Muster 1–2–2

INFINITIV/IMPERATIV	**PRÄTERITUM**
keep/keep!	kept

PRÄSENS	**PRÄTERITUM**
I keep	I kept
you keep	
he/she/it keeps	
we keep	
you keep	
they keep	

FUTUR	**KONDITIONAL**
I will (shall) keep	I would (should) keep

PRESENT PERFECT	**PLUSQUAMPERFEKT**
I have kept	I had kept

FUTUR PERFEKT	**KONDITIONAL PERFEKT**
I will (shall) have kept	I would (should) have kept

VERBEN, DIE DEMSELBEN MUSTER FOLGEN

creep	kriechen	**sweep**	fegen
sleep	schlafen	**weep**	weinen

ÄHNLICHE VERBEN

deal	verteilen	**lean**	lehnen
dream	träumen	**leap**	springen
kneel	knien	**mean**	bedeuten

 VERBEN, DIE NICHT DEMSELBEN MUSTER FOLGEN

bleep	piepen	**steep**	eintauchen

Keep left. (Road sign)	*Halten Sie sich* links. (Verkehrsschild)
Keep smiling.	*Immer weiter* lächeln.

PARTIZIP PRÄSENS	PARTIZIP PERFEKT
keeping	kept

VERLAUFSFORMEN

PRÄSENS	PRÄTERITUM
I am keeping	I was keeping
FUTUR	**KONDITIONAL**
I will (shall) be keeping	I would (should) be keeping
PRESENT PERFECT	**PLUSQUAMPERFEKT**
I have been keeping	I had been keeping
FUTUR PERFEKT	**KONDITIONAL PERFEKT**
I will (shall) have been keeping	I would (should) have been keeping

---

He'*d been keeping* a low profile.	Er *hatte* sich unauffällig *verhalten*.
What *kept* you?	Wo *warst* du *so lange?*
Please *keep* quiet.	Bitte *seien* Sie leise.
The gold bars *were being kept* in a special safe.	Die Goldbarren *wurden* in einem besonderen Tresor *aufbewahrt*.
'*Are* you *going to keep* his ring?' – 'Why *are* you *keeping* on about it?'	»*Wirst* du seinen Ring *behalten*?« – »Warum *redest* du *immerzu* davon?«
She *would have kept* you informed, but you were always out. She *kept* trying to ring you.	Sie *hätte* Sie auf dem Laufenden *gehalten*, aber Sie waren nie da. Sie versuchte *dauernd*, Sie anzurufen.«
The little girl *wept* quietly in her bed.	Das kleine Mädchen *weinte* still im Bett vor sich hin.

Unregelmäßiges Verb mit fünf Formen – Muster 1–2–3

INFINITIV/IMPERATIV	**PRÄTERITUM**
know/know!	knew

PRÄSENS	**PRÄTERITUM**
I know	I knew
you know	
he/she/it knows	
we know	
you know	
they know	

FUTUR	**KONDITIONAL**
I will (shall) know	I would (should) know

PRESENT PERFECT	**PLUSQUAMPERFEKT**
I have known	I had known

FUTUR PERFEKT	**KONDITIONAL PERFEKT**
I will (shall) have known	I would (should) have known

VERBEN, DIE DEMSELBEN MUSTER FOLGEN

blow	blasen
grow	wachsen
throw	werfen

 VERBEN, DIE NICHT DEMSELBEN MUSTER FOLGEN

sow	säen
stow	verstauen
tow	abschleppen

Had I **known** then what I **know** now, I wouldn't have agreed.	*Hätte* ich damals schon *gewußt*, was ich heute *weiß*, so hätte ich nicht zugestimmt.
Chris **knows** how to use the computer.	Chris *weiß*, wie man den Computer benutzt.

PARTIZIP PRÄSENS	*PARTIZIP PERFEKT*
knowing	known

VERLAUFSFORMEN

PRÄSENS	*PRÄTERITUM*
–	–

FUTUR	*KONDITIONAL*
–	–

PRESENT PERFECT	*PLUSQUAMPERFEKT*
–	–

FUTUR PERFEKT	*KONDITIONAL PERFEKT*
–	–

It *was* well *known* that the rate of VAT would be increased.	Es *war* allgemein *bekannt*, daß die MWSt erhöht werden würde.
I'*ve* never *known* it to rain for such a long time.	Einen so lang anhaltenden Regen *habe* ich noch nicht *erlebt*.
Joanna *should have known* better than to leave her homework to the last minute.	Joanna *hätte* eigentlich *wissen müssen*, daß sie ihre Hausaufgaben nicht bis auf die letzte Minute aufschieben sollte.
I *wouldn't know* her if we met.	Ich *würde* sie *nicht wiedererkennen*, wenn ich ihr begegnen würde.
'He *does know about* the meeting: I told him yesterday.'	»Er *weiß ganz bestimmt* von der Besprechung: ich habe ihm gestern darüber Bescheid gesagt.«
'I *don't know about* you, but I would like to go now.'	»Ich *weiß nicht*, was du davon hältst, aber ich möchte jetzt gehen.«

Unregelmäßiges Verb mit vier Formen – Muster 1–2–2

INFINITIV/IMPERATIV	*PRÄTERITUM*
lead/lead!	led

PRÄSENS	*PRÄTERITUM*
I lead	I led
you lead	
he/she/it leads	
we lead	
you lead	
they lead	

FUTUR	*KONDITIONAL*
I will (shall) lead	I would (should) lead

PRESENT PERFECT	*PLUSQUAMPERFEKT*
I have led	I had led

FUTUR PERFEKT	*KONDITIONAL PERFEKT*
I will (shall) have led	I will (shall) have led

VERBEN, DIE DEMSELBEN MUSTER FOLGEN

mislead   irreführen

ÄHNLICHE VERBEN

bleed	bluten	**speed**	eilen; (zu)
feed	füttern		schnell fahren
		read *	lesen

* Präteritum und Partzip Perfekt werden genauso ausgesprochen wie
bei **lead,** aber anders geschrieben.

 ### VERBEN, DIE NICHT DEMSELBEN MUSTER FOLGEN

heed	beachten
tread	treten
weed	Unkraut jäten

| This road *leads* to Purley. | Diese Straße *führt* nach Purley. |

PARTIZIP PRÄSENS	*PARTIZIP PERFEKT*
leading	led

VERLAUFSFORMEN

PRÄSENS	*PRÄTERITUM*
I am leading	I was leading

FUTUR	*KONDITIONAL*
I will (shall) be leading	I would (should) be leading

PRESENT PERFECT	*PLUSQUAMPERFEKT*
I have been leading	I had been leading

FUTUR PERFEKT	*KONDITIONAL PERFEKT*
I will (shall) have been leading	I would (should) have been leading

---

She *had led* a carefree life.	Sie *hatte* ein sorgenfreies Leben *geführt*.
Who *is leading* in the 1500 m race?	Wer *führt (zur Zeit)* im 1500-m-Rennen?
The prisoners *were being led* away.	Die Gefangenen *wurden abgeführt*.
Will you *be leading* the campaign this year?	*Wirst* du dieses Jahr die Kampagne *leiten*?
Tony *is leading* the way. Last week, Madeleine *led* the ramblers, but each time the group *is led* by a different person. The walk *will lead* us through some ancient woods.	Tony *geht voran*. Letzte Woche *hat* Madeleine die Wanderer *geführt*, doch jedesmal *wird* die Gruppe von einer anderen Person *geleitet*. Die Wanderung *wird* uns durch alte Wälder *führen*.
Clare *had been misled* by the 'free' offer.	Clare *war* von dem »Gratis«-Angebot *irregeführt worden*.

Unregelmäßiges Verb mit vier Formen – Muster 1–2–2

INFINITIV/IMPERATIV	**PRÄTERITUM**
leave/leave!	left

PRÄSENS	**PRÄTERITUM**
I leave	I left
you leave	
he/she/it leaves	
we leave	
you leave	
they leave	

FUTUR	**KONDITIONAL**
I will (shall) leave	I would (should) leave

PRESENT PERFECT	**PLUSQUAMPERFEKT**
I have left	I had left

FUTUR PERFEKT	**KONDITIONAL PERFEKT**
I will (shall) have left	I would (should) have left

VERBEN, DIE DEMSELBEN MUSTER FOLGEN

cleave *   spalten

> * Es gibt ein anderes, regelmäßiges Verb **cleave** mit der Bedeutung »anhaften, kleben«, das nach dem Muster 6 konjugiert wird.

 VERBEN, DIE NICHT DEMSELBEN MUSTER FOLGEN

heave   (hoch)heben, hochziehen

'Which airport *are* you *leaving* from?'	»Von welchem Flughafen *wirst* du *abfliegen*?«
Ingrid *left* her keys with a friend. At weekends, she *leaves* her new flat empty. Michael didn't mind *being left* by himself.	Ingrid *ließ/hinterlegte* ihre Schlüssel bei Freunden. An Wochenenden *läßt* sie ihre neue Wohnung leerstehen. Es machte Michael nichts aus, *allein gelassen zu werden*.

PARTIZIP PRÄSENS	PARTIZIP PERFEKT
leaving	left

VERLAUFSFORMEN

PRÄSENS	PRÄTERITUM
I am leaving	I was leaving

FUTUR	KONDITIONAL
I will (shall) be leaving	I would (should) be leaving

PRESENT PERFECT	PLUSQUAMPERFEKT
I have been leaving	I had been leaving

FUTUR PERFEKT	KONDITIONAL PERFEKT
I will (shall) have been leaving	I would (should) have been leaving

His wife *had left* him a fortune. She died when her car *left* the road.	Seine Ehefrau *hatte* ihm ein Vermögen *hinterlassen*. Sie starb, als ihr Auto von der Straße *abkam*.
Please *leave* me alone.	*Laß* mich bitte in Frieden.
Jo and Brian *are leaving* the inner city. They *would have left* some time ago, if the camel *could have been left* with the neighbours. Now they *are leaving* it with their daughter Hannah.	Jo und Brian *ziehen* aus der Innenstadt *weg*. Sie *wären* schon vor einiger Zeit *weggezogen*, wenn sie das Kamel bei den Nachbarn *hätten lassen können*. Jetzt *lassen* sie es bei ihrer Tochter Hannah.
Wood *is* best *cleft* along the grain.	Holz *spaltet man* am besten der Maserung entlang.

Unregelmäßiges Verb mit drei Formen – Muster 1–1–1

INFINITIV/IMPERATIV	PRÄTERITUM
let/let!	let

PRÄSENS	PRÄTERITUM
I let	I let
you let	
he/she/it lets	
we let	
you let	
they let	

FUTUR	KONDITIONAL
I will (shall) let	I would (should) let

PRESENT PERFECT	PLUSQUAMPERFEKT
I have let	I had let

FUTUR PERFEKT	KONDITIONAL PERFEKT
I will (shall) have let	I would (should) have let

VERBEN, DIE DEMSELBEN MUSTER FOLGEN

bet	wetten	**recut**	neu schneiden
burst	platzen	**rid**	befreien
cast	werfen	**set**	setzen, legen
cost	kosten	**shed**	abwerfen
cut	schneiden	**shut**	schließen
hit	schlagen	**split**	spalten
hurt	verletzen	**spread**	verbreiten
put	legen, setzen	**sublet**	untervermieten
quit	aufhören		

N.B.: Alle Verben, die diesem Muster folgen, enden auf -t oder -d und sind (außer Zusammensetzungen wie sublet) einsilbig.

 ### VERBEN, DIE NICHT DEMSELBEN MUSTER FOLGEN

get	bekommen	**sit**	sitzen
host	bewirten		

PARTIZIP PRÄSENS	PARTIZIP PERFEKT
letting	let

VERLAUFSFORMEN

PRÄSENS	PRÄTERITUM
I am letting	I was letting

FUTUR	KONDITIONAL
I will (shall) be letting	I would (should) be letting

PRESENT PERFECT	PLUSQUAMPERFEKT
I have been letting	I had been letting

FUTUR PERFEKT	KONDITIONAL PERFEKT
I will (shall) have been letting	I would (should) have been letting

---

'*Let* me help you.'	»*Laß* mich (dir) helfen./*Kann* ich dir helfen?«
The theatre *had been let* to them for the performance. The costumes *were let* for a daily rate. They *weren't letting on* which costumes they had chosen.	Das Theater *war* ihnen für die Aufführung *überlassen worden*. Die Kostüme *wurden* für einen Tagessatz *verliehen*. Sie *verrieten nicht*, welche Kostüme sie gewählt hatten.
He didn't want *to let* her go, and after the divorce he *let* himself go.	Er wollte sie nicht gehen *lassen*, und nach der Scheidung *ließ* er sich gehen.
'I'*ll let* you *off* this time.'	»Diesmal *laß* ich es nochmal *durchgehen*.«
Mike *is going to let* himself in.	Mike *wird* selbst *aufschließen* (und hineingehen).
Tenants are not allowed *to sublet* their accommodation.	Den Mietern ist es nicht gestattet, ihre Wohnungen *unterzuvermieten*.

Unregelmäßiges Verb mit fünf Formen – Muster 1–2–3

INFINITIV/IMPERATIV	PRÄTERITUM
lie/lie!	lay

PRÄSENS	PRÄTERITUM
I lie	I lay
you lie	
he/she/it lies	
we lie	
you lie	
they lie	

FUTUR	KONDITIONAL
I will (shall) lie	I would (should) lie

PRESENT PERFECT	PLUSQUAMPERFEKT
I have lain	I had lain

FUTUR PERFEKT	KONDITIONAL PERFEKT
I will (shall) have lain	I would (should) have lain

VERBEN, DIE DEMSELBEN MUSTER FOLGEN

underlie	zugrunde liegen

 VERBEN, DIE NICHT DEMSELBEN MUSTER FOLGEN

die	sterben
vie	wetteifern

N.B.: Ein anderes, regelmäßiges Verb **lie** in der Bedeutung »lügen« folgt dem regelmäßigen Konjugationsmuster Nr. 11.

PARTIZIP PRÄSENS	*PARTIZIP PERFEKT*
lying	lain

VERLAUFSFORMEN

PRÄSENS	*PRÄTERITUM*
I am lying	I was lying
FUTUR	**KONDITIONAL**
I will (shall) be lying	I would (should) be lying
PRESENT PERFECT	**PLUSQUAMPERFEKT**
I have been lying	I had been lying
FUTUR PERFEKT	**KONDITIONAL PERFEKT**
I will (shall) have been lying	I would (should) have been lying

---

I *had been lying* in bed all day. When I finally got up, I found a parcel *lying* outside the door.	Den ganzen Tag *hatte* ich im Bett *gelegen*. Als ich endlich aufstand, fand ich ein Paket vor der Tür *liegen*.
The village of Hinterneubronn *lies* in the middle of the Black Forest, between Badenweiler and Schönau.	Die Ortschaft Hinterneubronn *liegt* mitten im Schwarzwald, zwischen Badenweiler und Schönau.
'Why *is* this letter *lying around?*'	»Warum *liegt* dieser Brief hier *herum?*«
'I can't find my glasses.' – 'They *were lying* on the table when I last saw them.'	»Ich kann meine Brille nicht finden.« – »Ich habe sie zuletzt auf dem Tisch *liegen* sehen.«
Their dislike of officialdom *underlies* their every action.	Ihre Abneigung gegenüber Beamten *liegt* ihren sämtlichen Handlungen *zugrunde*.

Unregelmäßiges Verb mit vier Formen – Muster 1–2–2

INFINITIV/IMPERATIV	**PRÄTERITUM**
light/light!	lit

PRÄSENS
I light
you light
he/she/it lights
we light
you light
they light

PRÄTERITUM
I lit

FUTUR
I will (shall) light

KONDITIONAL
I would (should) light

PRESENT PERFECT
I have lit

PLUSQUAMPERFEKT
I had lit

FUTUR PERFEKT
I will (shall) have lit

KONDITIONAL PERFEKT
I would (should) have lit

VERBEN, DIE DEMSELBEN MUSTER FOLGEN

relight   wieder anzünden

ÄHNLICHE VERBEN

slide   rutschen

 VERBEN, DIE NICHT DEMSELBEN MUSTER FOLGEN

delight   entzücken
fight   kämpfen
might   könnte eventuell

Please *do light* the candles.   Bitte *zünde doch* die Kerzen an.

The floodlight *lit up* the whole garden.   Das Flutlicht *erleuchtete* den ganzen Garten.

PARTIZIP PRÄSENS
lighting

PARTIZIP PERFEKT
lit

VERLAUFSFORMEN

PRÄSENS
I am lighting

PRÄTERITUM
I was lighting

FUTUR
I will (shall) be lighting

KONDITIONAL
I would (should) be lighting

PRESENT PERFECT
I have been lighting

PLUSQUAMPERFEKT
I had been lighting

FUTUR PERFEKT
I will (shall) have been lighting

KONDITIONAL PERFEKT
I would (should) have been lighting

Paul *had been lighting* the Catherine wheels. When Adrian *lit* the first rocket, the sky *was lit up* in blue and orange.

Paul *war dabei gewesen*, die Feuerräder *anzuzünden*. Als Adrian die erste Rakete *ansteckte*, *wurde* der Himmel blau und orange *erleuchtet*.

You*'d* better not *light* a cigarette near the fireworks.

Du *zündest* besser keine Zigarette in der Nähe des Feuerwerks an.

Yesterday Pete *lit* a huge bonfire. Helen and Robert's faces *lit up* as they roasted marshmallows in the fire.

Gestern *zündete* Pete ein großes Lagerfeuer an. Helens und Roberts Gesichter *leuchteten auf*, als sie Marshmallows im Feuer rösteten.

Hannah *slid* down the stairs.

Hannah *rutschte* die Treppe herunter.

verlieren

Unregelmäßiges Verb mit vier Formen – Muster 1–2–2

INFINITIV/IMPERATIV	*PRÄTERITUM*
lose/lose!	lost

PRÄSENS	*PRÄTERITUM*
I lose	I lost
you lose	
he/she/it loses	
we lose	
you lose	
they lose	

FUTUR	*KONDITIONAL*
I will (shall) lose	I would (should) lose

PRESENT PERFECT	*PLUSQUAMPERFEKT*
I have lost	I had lost

FUTUR PERFEKT	*KONDITIONAL PERFEKT*
I will (shall) have lost	I would (should) have lost

⚠ *VERBEN, DIE NICHT DEMSELBEN MUSTER FOLGEN*

hose (down)	(mit dem Schlauch) abspritzen
nose (around)	neugierig herumspionieren

Cappi *was about to lose* the game, when he drew an ace.	Cappi *stand kurz davor,* das Spiel *zu verlieren,* als er ein As zog.
He *was losing* large amounts in the betting shops.	Er *verlor* Unmengen Geld in den Wettbüros.
She *'d lost* interest in her work.	Sie *hatte* das Interesse an ihrer Arbeit *verloren.*
The subtleties *were lost on* her.	Die feineren Details *entgingen* ihr.

PARTIZIP PRÄSENS	*PARTIZIP PERFEKT*
losing	lost

VERLAUFSFORMEN

PRÄSENS	*PRÄTERITUM*
I am losing	I was losing

FUTUR	*KONDITIONAL*
I will (shall) be losing	I would (should) be losing

PRESENT PERFECT	*PLUSQUAMPERFEKT*
I have been losing	I had been losing

FUTUR PERFEKT	*KONDITIONAL PERFEKT*
I will (shall) have been losing	I would (should) have been losing

---

Ursula *lost* her favourite lipstick. She *was* always *losing* things – only last week she *lost* a necklace. 'You*'ll be losing* your head next,' her boss said. '*Have* you never *lost* anything?' she retorted. 'No document *has* ever *been lost* by me, and I *have* not *lost* the company any money. In fact, I never *lose* anything important.'

Ursula *verlor* ihren Lieblings-lippenstift. *Immerzu verlor* sie Sachen – erst letzte Woche *hatte* sie ihre Halskette *verloren*. »Eines Tages *werden* Sie Ihren Kopf *verlieren*«, sagte ihr Chef. »*Haben* Sie noch nie etwas *verloren*?« entgegnete sie. »Kein Dokument *ist* je durch mich *verlorengegangen*, und die Firma *hat* durch mich noch nie Geld *verloren*. Tatsächlich *verliere* ich nie etwas Wichtiges.«

Unregelmäßiges Verb mit vier Formen – Muster 1–2–2

INFINITIV/IMPERATIV	*PRÄTERITUM*
make/make!	made

PRÄSENS	*PRÄTERITUM*
I make	I made
you make	
he/she/it makes	
we make	
you make	
they make	

FUTUR	*KONDITIONAL*
I will (shall) make	I would (should) make

PRESENT PERFECT	*PLUSQUAMPERFEKT*
I have made	I had made

FUTUR PERFEKT	*KONDITIONAL PERFEKT*
I will (shall) have made	I would (should) have made

VERBEN, DIE DEMSELBEN MUSTER FOLGEN

remake — neu machen

ÄHNLICHE VERBEN

lay * — legen
pay * — (be)zahlen

* Diese Verben ähneln den Formen von **make** nur in der Aussprache.

 VERBEN, DIE NICHT DEMSELBEN MUSTER FOLGEN

bake — backen
take — nehmen
wake — (er)wachen

| **PARTIZIP PRÄSENS** | **PARTIZIP PERFEKT** |
| making | made |

VERLAUFSFORMEN

| **PRÄSENS** | **PRÄTERITUM** |
| I am making | I was making |

| **FUTUR** | **KONDITIONAL** |
| I will (shall) be making | I would (should) be making |

| **PRESENT PERFECT** | **PLUSQUAMPERFEKT** |
| I have been making | I had been making |

| **FUTUR PERFEKT** | **KONDITIONAL PERFEKT** |
| I will (shall) have been making | I would (should) have been making |

Cappi *made* an important discovery: the vase *had been made* during the Ming dynasty. It *could make* him rich. He *is* now *making* enquiries with the museums.

Cappi *machte* eine wichtige Entdeckung: Die Vase *war* während der Ming- Dynastie *hergestellt worden*. Sie könnte ihn reich *machen*. Jetzt *fragt* er in Museen *an*.

Francis *was made* to work the weekend. He *made* his displeasure felt, he didn't like *making* such sacrifices. The boss hinted that he *would make it up to* him.

Francis *wurde gezwungen*, am Wochenende zu arbeiten. Er *machte* seinem Unmut Luft, solche Opfer *brachte* er nicht gerne. Der Chef deutete an, daß er ihn *dafür entschädigen würde*.

Marie *has been making* a lace tablecloth. She *makes* her own designs.

Marie *ist dabei gewesen*, eine Spitzentischdecke *zu machen*. Sie *macht* ihre eigenen Entwürfe.

Unregelmäßiges Verb mit vier Formen – Muster 1–2–2

INFINITIV/IMPERATIV	**PRÄTERITUM**
mean/mean!	meant

PRÄSENS	**PRÄTERITUM**
I mean	I meant
you mean	
he/she/it means	
we mean	
you mean	
they mean	

FUTUR	**KONDITIONAL**
I will (shall) mean	I would (should) mean

PRESENT PERFECT	**PLUSQUAMPERFEKT**
I have meant	I had meant

FUTUR PERFEKT	**KONDITIONAL PERFEKT**
I will (shall) have meant	I would (should) have meant

VERBEN, DIE DEMSELBEN MUSTER FOLGEN

lean   lehnen

ÄHNLICHE VERBEN

creep	kriechen	kneel	knien
deal	verteilen;	leap	springen
	handeln	sleep	schlafen
dream	träumen	sweep	fegen
keep	(be)halten	weep	weinen

 VERBEN, DIE NICHT DEMSELBEN MUSTER FOLGEN

clean	säubern, putzen
glean	erfahren, ausfindig machen
wean	entwöhnen

PARTIZIP PRÄSENS	PARTIZIP PERFEKT
meaning	meant

VERLAUFSFORMEN

PRÄSENS	PRÄTERITUM
I am meaning	I was meaning

FUTUR	KONDITIONAL
I will (shall) be meaning	I would (should) be meaning

PRESENT PERFECT	PLUSQUAMPERFEKT
I have been meaning	I had been meaning

FUTUR PERFEKT	KONDITIONAL PERFEKT
I will (shall) have been meaning	I would (should) have been meaning

---

I *have been meaning* to write to Jane since last Christmas. She *was meant* to get the letter before the Christmas card. It *would have meant* a lot to her.

Seit Weihnachten letzten Jahres *habe* ich *vorgehabt*, Jane zu schreiben. Sie *sollte* den Brief vor der Weihnachtskarte erhalten. Es *hätte* ihr viel *bedeutet*.

'I *meant* it as a joke. I *didn't mean* to hurt him.' – 'What *do* you *mean* by that?'

»*Es sollte* ein Witz sein. Ich *wollte* ihm *nicht* weh tun.« – »Was *willst* du damit *sagen*?«

John and Vivien *were meant* to come to England last summer. They *mean* to come over once a year. They*'d been meaning* to come in the spring, but Vivien had become pregnant again.

John und Vivien *hätten (eigentlich)* letzten Sommer nach England kommen *sollen*. Sie *wollen* jedes Jahr einmal herüberkommen. *(Ursprünglich) hatten* sie im Frühjahr kommen *wollen*, aber Vivien war wieder schwanger geworden.

'What *does* this *mean*? *Do* you *mean* to say that this is it?'

»Was *bedeutet* das? *Willst* du damit *sagen*, daß das alles ist?«

Unregelmäßiges Verb mit vier Formen – Muster 1–2–2

INFINITIV/IMPERATIV	***PRÄTERITUM***
meet/meet!	met

PRÄSENS	***PRÄTERITUM***
I meet	I met
you meet	
he/she/it meets	
we meet	
you meet	
they meet	

FUTUR	***KONDITIONAL***
I will (shall) meet	I would (should) meet

PRESENT PERFECT	***PLUSQUAMPERFEKT***
I have met	I had met

FUTUR PERFEKT	***KONDITIONAL PERFEKT***
I will (shall) have met	I would (should) have met

 VERBEN, DIE NICHT DEMSELBEN MUSTER FOLGEN

greet   grüßen

'***Meet** my husband Mike.*'	»*Darf* ich Ihnen meinen Ehemann, Mike, *vorstellen*?«
I *am meeting* Carol and Brenda in front of the shop.	Ich *treffe* Carol und Brenda vor dem Laden.
'We'*ll meet* again' (Vera Lynn)	»Wir *werden einander wiedersehen.*«
'*Haven't* I *met* you somewhere before?'	»*Kenne* ich Sie *nicht* von irgendwoher?«

PARTIZIP PRÄSENS	*PARTIZIP PERFEKT*
meeting	met

VERLAUFSFORMEN

PRÄSENS	*PRÄTERITUM*
I am meeting	I was meeting

FUTUR	*KONDITIONAL*
I will (shall) be meeting	I would (should) be meeting

PRESENT PERFECT	*PLUSQUAMPERFEKT*
I have been meeting	I had been meeting

FUTUR PERFEKT	*KONDITIONAL PERFEKT*
I will (shall) have been meeting	I would (should) have been meeting

---

They *had been meeting* secretly for years.	Seit Jahren *hatten* sie *sich* heimlich *getroffen*.
We *were being met* at the airport by Carsten.	Carsten *holte* uns vom Flughafen *ab*.
Normally we *meet* for a meal once a year. Claudia and Ulla *have been meeting* each other more frequently, but now they *can't meet* so often. *Will* Monika *meet* us at the restaurant?	Normalerweise *treffen* wir *uns* einmal im Jahr, um essen zu gehen. Claudia und Ulla *sehen sich* öfter, aber nun *können* sie *sich nicht* mehr so oft *treffen*. *Wird* Monika uns im Restaurant *treffen*?

(be)zahlen

Unregelmäßiges Verb mit vier Formen – Muster 1–2–2

INFINITIV/IMPERATIV	**PRÄTERITUM**
pay/pay!	paid

PRÄSENS	**PRÄTERITUM**
I pay	I paid
you pay	
he/she/it pays	
we pay	
you pay	
they pay	

FUTUR	**KONDITIONAL**
I will (shall) pay	I would (should) pay

PRESENT PERFECT	**PLUSQUAMPERFEKT**
I have paid	I had paid

FUTUR PERFEKT	**KONDITIONAL PERFEKT**
I will (shall) have paid	I would (should) have paid

VERBEN, DIE DEMSELBEN MUSTER FOLGEN

lay	legen	**say** *	sagen
overpay	zuviel bezahlen	**underpay**	unterbezahlen
repay	zurückzahlen		

* Dieses Verb nimmt dieselben Formen in der Schreibweise, aber nicht in der Aussprache an: **says** <säs> vs. **pays** <peis>; **said** <säd> vs. **paid** <peid>.

ÄHNLICHE VERBEN

make   machen

 VERBEN, DIE NICHT DEMSELBEN MUSTER FOLGEN

bay	(an)bellen, heulen
may	dürfen, mögen
sway	schwanken

PARTIZIP PRÄSENS	*PARTIZIP PERFEKT*
paying	paid

VERLAUFSFORMEN

PRÄSENS	*PRÄTERITUM*
I am paying	I was paying

FUTUR	*KONDITIONAL*
I will (shall) be paying	I would (should) be paying

PRESENT PERFECT	*PLUSQUAMPERFEKT*
I have been paying	I had been paying

FUTUR PERFEKT	*KONDITIONAL PERFEKT*
I will (shall) have been paying	I would (should) have been paying

---

I *am being paid* by the hour.	Ich *erhalte* einen Stunden*lohn*.
'*Have* you *paid* the telephone bill?'	»*Hast* du die Telefonrechnung *bezahlt*?«
Crime *doesn't pay*. In the end *it pays* to be honest.	Verbechen *lohnt sich nicht*. Letzten Endes *lohnt es sich*, ehrlich zu sein.
He *was paying* her a monthly allowance.	Er *zahlte* ihr einen monatlichen Zuschuß.
Mark *will be paying* his golf club membership next week. Karen *has* already *paid* hers. He *would have paid* it yesterday, but he'd forgotten his cheque book.	Mark *wird* seine Mitgliedschaft im Golfklub nächste Woche *bezahlen*. Karen hat ihre bereits gezahlt. Er *hätte* sie gestern *gezahlt*, aber er hatte sein Scheckbuch vergessen.
Has the Christmas bonus *been paid* out yet?	*Ist* der Weihnachtszuschlag bereits *bezahlt worden*?

Unregelmäßiges Verb mit drei Formen – Muster 1–1–1

INFINITIV/IMPERATIV	*PRÄTERITUM*
put/put!	put

PRÄSENS	*PRÄTERITUM*
I put	I put
you put	
he/she/it puts	
we put	
you put	
they put	

FUTUR	*KONDITIONAL*
I will (shall) put	I would (should) put

PRESENT PERFECT	*PLUSQUAMPERFEKT*
I have put	I had put

FUTUR PERFEKT	*KONDITIONAL PERFEKT*
I will (shall) have put	I would (should) have put

VERBEN, DIE DEMSELBEN MUSTER FOLGEN

bet	wetten	**quit**	aufhören,
burst	platzen		verlassen
cast	werfen	**rid**	befreien,
cost	kosten		loswerden
cut	schneiden	**set**	setzen, legen
hit	schlagen	**shed**	abwerfen
hurt	verletzen, weh	**shut**	schließen
	tun	**split**	spalten
let	lassen;	**spread**	verbreiten
	vermieten		

N.B.:   Alle Verben, die diesem Muster folgen, enden auf **-t** oder **-d** und sind (außer Zusammensetzungen) einsilbig.

 VERBEN, DIE NICHT DEMSELBEN MUSTER FOLGEN

gut	(Fisch usw.) ausnehmen
jut (out)	hervorstehen

PARTIZIP PRÄSENS	**PARTIZIP PERFEKT**
putting	put

VERLAUFSFORMEN

PRÄSENS	**PRÄTERITUM**
I am putting	I was putting

FUTUR	**KONDITIONAL**
I will (shall) be putting	I would (should) be putting

PRESENT PERFECT	**PLUSQUAMPERFEKT**
I have been putting	I had been putting

FUTUR PERFEKT	**KONDITIONAL PERFEKT**
I will (shall) have been putting	I would (should) have been putting

---

'Look: Amy *is putting* the book in her mouth.' – 'Please *put* that book *down*!'

»Schau: Amy *steckt sich* das Buch in den Mund.« – »Bitte *leg* das Buch *hin*!«

Carsten *was put* over a team of people. They *put* him to work on a new contract.

Carsten *wurde* einem Team von Leuten *vorgesetzt*. Man *ließ* ihn einen neuen Vertrag ausarbeiten.

Laura *had been putting off* writing her application until the last minute.

Laura *hatte* es bis auf die letzte Minute *aufgeschoben*. ihre Bewerbung zu schreiben.

Chris *wouldn't be put off* by the cold weather.

Chris *ließ sich* durch das kalte Wetter *nicht abhalten*.

Vivien *was putting up* shelves, but she had *to put up with* the noise from the children.

Vivien *war dabei,* Regale *anzubringen*, aber sie mußte sich mit dem Lärm von den Kindern *abfinden*.

Unregelmäßiges Verb mit drei Formen* – Muster 1–1–1

INFINITIV/IMPERATIV	PRÄTERITUM
read/read!	read

PRÄSENS	PRÄTERITUM
I read	I read
you read	
he/she/it reads	
we read	
you read	
they read	

FUTUR	KONDITIONAL
I will (shall) read	I would (should) read

PRESENT PERFECT	PLUSQUAMPERFEKT
I have read	I have read

FUTUR PERFEKT	KONDITIONAL PERFEKT
I will (shall) have read	I would (should) have read

VERBEN, DIE DEMSELBEN MUSTER FOLGEN

reread	erneut lesen	spread	verbreiten

ÄHNLICHE VERBEN

bleed [1]	bluten	lead [1]	führen
feed [1]	füttern	speed [1]	eilen, (zu) schnell fahren

* Drei Formen nur in der Schreibweise. Der Ausprache nach hat **read** vier Formen: 1–2–2

[1] Diese Verben folgen demselben Muster in der Aussprache, aber nicht in der Schreibweise: **lead** <li:d>, **read** <ri:d>, **led** <led>, **read** <red>.

I *will be reading up* on the Canaries, before we go to Lanzarote.	Ich *werde mich noch* über die Kanarischen Inseln *informieren*, bevor wir nach Lanzarote fahren.

PARTIZIP PRÄSENS	*PARTIZIP PERFEKT*
reading	read

VERLAUFSFORMEN

PRÄSENS
I am reading

PRÄTERITUM
I was reading

FUTUR
I will (shall) be reading

KONDITIONAL
I would (should) be reading

PRESENT PERFECT
I have been reading

PLUSQUAMPERFEKT
I had been reading

FUTUR PERFEKT
I will (shall) have been reading

KONDITIONAL PERFEKT
I would (should) have been reading

'This author *is read* by all holiday makers. Her books *read* like a soap opera. *Have* you *read* any of her books?' – 'No, my copy *is being read* by Mike. I *am reading* a novel by Geraldine.'

»Diese Autorin *wird* von allen Urlaubern *gelesen*. Ihre Bücher *lesen sich* wie eine Seifenoper. *Hast* du (schon) eines ihrer Bücher *gelesen*?« – »Nein, Mike *liest zur Zeit* mein Exemplar. Ich *lese gerade* einen Roman von Geraldine.«

'What *did* Alison and Tim *read*?' – 'Alison *read* psychology and Tim *is reading* environmental studies.'

»Was *haben* Alison und Tim *studiert*?« – »Alison *hat* Psychologie *studiert*, und Tim *studiert* Ökologie.«

'This *reads* like a love letter.' – 'I shouldn't *read* too much *into* it. You *can't read* his mind.'

»Das *liest sich* wie ein Liebesbrief.« – »An deiner Stelle *würde* ich nicht zuviel *hineinlesen*. Du *kannst* seine Gedanken *nicht lesen*.«

laufen

Unregelmäßiges Verb mit vier Formen – Muster 1–2–1

INFINITIV/IMPERATIV	*PRÄTERITUM*
run/run!	ran

PRÄSENS	*PRÄTERITUM*
I run	I ran
you run	
he/she/it runs	
we run	
you run	
they run	

FUTUR	*KONDITIONAL*
I will (shall) run	I would (should) run

PRESENT PERFECT	*PLUSQUAMPERFEKT*
I have run	I had run

FUTUR PERFEKT	*KONDITIONAL PERFEKT*
I will (shall) have run	I would (should) have run

VERBEN, DIE DEMSELBEN MUSTER FOLGEN

overrun	überlaufen; überschwemmen
rerun	wiederholen, nochmals spielen/rennen

 VERBEN, DIE NICHT DEMSELBEN MUSTER FOLGEN

gun (down)	erschießen
pun	Wortspiele machen
stun	betäuben, benommen machen

Time *is running out*.	Die Zeit *wird knapp*.
'*Has* Norbert *run* in this race before?' – 'No, he '*s running* for the first time.'	»*Ist* Norbert schon einmal in diesem Rennen *angetreten*?« – »Nein, er *läuft* zum ersten Mal.«
Gill *runs* the magazine. Last year she also *ran* for President of the Publishers' Society.	Wenn es so weitergeht, *hat* Sandra am Ende der Woche *kein* Geld *mehr*.

PARTIZIP PRÄSENS	PARTIZIP PERFEKT
running	run

VERLAUFSFORMEN

PRÄSENS	PRÄTERITUM
I am running	I was running

FUTUR	KONDITIONAL
I will (shall) be running	I would (should) be running

PRESENT PERFECT	PLUSQUAMPERFEKT
I have been running	I had been running

FUTUR PERFEKT	KONDITIONAL PERFEKT
I will (shall) have been running	I would (should) have been running

---

At this rate, Sandra *will have run out* of money by the end of the week.

He *was running* scared.

Mike *had been run over* by a shopping trolley. Now he *was running after* the careless shopper.

The meeting *was overrun* by animal rights protesters.

'The speaker *overran* his allotted time. *Will* the next lecture also *be overrunning*?'

Er *bekam es* mit der Angst zu tun.

Gill *leitet* die Zeitschrift. Letztes Jahr *kandidierte* sie auch als Präsidentin der Verlegergesellschaft.

Ein Einkaufswagen *hatte* Mike *überfahren.* Nun *rannte* er *hinter* dem achtlosen Einkäufer *her.*

Die Besprechung *wurde* von Tierschützern *gestürmt.*

»Der Sprecher *überschritt* die ihm eingeräumte Zeit. *Wird* die nächste Vorlesung auch *länger als geplant dauern?*«

Unregelmäßiges Verb mit vier Formen – Muster 1–2–2

INFINITIV/IMPERATIV	*PRÄTERITUM*
say/say!	said

PRÄSENS	*PRÄTERITUM*
I say	I said
you say	
he/she/it says	
we say	
you say	
they say	

FUTUR	*KONDITIONAL*
I will (shall) say	I would (should) say

PRESENT PERFECT	*PLUSQUAMPERFEKT*
I have said	I had said

FUTUR PERFEKT	*KONDITIONAL PERFEKT*
I will (shall) have said	I would (should) have said

VERBEN, DIE DEMSELBEN MUSTER FOLGEN

lay *	legen
pay *	(be)zahlen

* In der Schreibweise gleichen sich die Formen, sie unterscheiden sich jedoch in der Aussprache: **says** <säs> vs. **pays** <peis>; **said** <säd> vs. **paid** <peid>

ÄHNLICHE VERBEN

make	machen

 ### VERBEN, DIE NICHT DEMSELBEN MUSTER FOLGEN

pray	beten
slay	erschlagen; morden
spray	(ver)sprühen

PARTIZIP PRÄSENS	**PARTIZIP PERFEKT**
saying	said

VERLAUFSFORMEN

PRÄSENS	**PRÄTERITUM**
I am saying	I was saying

FUTUR	**KONDITIONAL**
I will (shall) be saying	I would (should) be saying

PRESENT PERFECT	**PLUSQUAMPERFEKT**
I have been saying	I had been saying

FUTUR PERFEKT	**KONDITIONAL PERFEKT**
I will (shall) have been saying	I would (should) have been saying

---

Marie *had been saying* to Francis that the door needed repainting.

Marie *hatte schon eine Weile* zu Francis *gesagt*, daß die Tür gestrichen werden mußte.

'John and Rosie *are said to* be enjoying their holidays.' – 'Where *did* you *say* they had gone?'

»*Man sagt, daß* John und Rosie ihre Ferien genießen.« – »Wohin, *sagtest* du (nochmal), sind sie gefahren?«

'*Has* anything *been said* about the arrangements?' – 'Yes, Gaye *said* that we should eat out. Nothing *must be said* to Pete.' – 'I *won't say* a word.'\

»*Ist* etwas über die Verabredung *gesagt worden?*« – »Ja, Gaye *sagte*, daß wir zum Essen gehen sollten. Wir *sollen* nichts davon Pete gegenüber *erwähnen.*« – »Ich *werde kein* Wort darüber *verlieren.*«

'I'*m* not *saying* that he is stupid, but ...' – 'That *doesn't say* much for him!'

»Ich *will* ja nicht *sagen*, daß er dumm ist, aber ...« – »Das *spricht nicht* gerade für ihn!«

Unregelmäßiges Verb mit fünf Formen – Muster 1–2–3

INFINITIV/IMPERATIV	*PRÄTERITUM*
see/see!	saw

PRÄSENS	*PRÄTERITUM*
I see	I saw
you see	
he/she/it sees	
we see	
you see	
they see	

FUTUR	*KONDITIONAL*
I will (shall) see	I would (should) see

PRESENT PERFECT	*PLUSQUAMPERFEKT*
I have seen	I had seen

FUTUR PERFEKT	*KONDITIONAL PERFEKT*
I will (shall) have seen	I would (should) have seen

VERBEN, DIE DEMSELBEN MUSTER FOLGEN

foresee	vorhersehen
oversee	beaufsichtigen

 VERBEN DIE NICHT DEMSELBEN MUSTER FOLGEN

agree	zustimmen
flee	fliehen
free	befreien

Alison *is seeing* Tim.	Alison *geht mit* Tim *aus*.
I *can't see* what this has got to do with it.	Ich *verstehe nicht,* was das damit zu tun hat.
'I *saw* Mike this morning. Let me *see* if I can reach him.'	»Ich *habe* Mike heute morgen *gesehen*. Laß mich mal *sehen*, ob ich ihn erreichen kann.«

PARTIZIP PRÄSENS	*PARTIZIP PERFEKT*
seeing	seen

VERLAUFSFORMEN

PRÄSENS	*PRÄTERITUM*
I am seeing	I was seeing

FUTUR	*KONDITIONAL*
I will (shall) be seeing	I would (should) be seeing

PRESENT PERFECT	*PLUSQUAMPERFEKT*
I have been seeing	I had been seeing

FUTUR PERFEKT	*KONDITIONAL PERFEKT*
I will (shall) have been seeing	I would (should) have been seeing

---

'*Are* you *going to see* the new Spielberg movie?' – 'We'*ve seen* it. I think we'*ll see* the one with Stallone instead.'

»*Schaut* ihr euch den neuen Spielberg-Film an?« – »Wir *haben* ihn schon *gesehen.* Ich glaube, wir *sehen* uns statt dessen den mit Stallone *an.*«

Madeleine *was* just *seeing* her guests *out,* when the phone rang.

Madeleine *war* gerade *dabei*, ihre Gäste *zu verabschieden*, als das Telefon klingelte.

'What *are* you *seeing* the doctor *about?*'

»Warum *gehst* du zum Arzt?«

Having seen the first episode, Laura wasn't interested in *seeing* the rest of the series.

Nachdem sie den ersten Teil *gesehen hatte,* war Laura nicht daran interessiert, den Rest der Serie zu *sehen.*

Unregelmäßiges Verb mit vier Formen – Muster 1–2–2

INFINITIV/IMPERATIV	**PRÄTERITUM**
send/send!	sent

PRÄSENS	**PRÄTERITUM**
I send	I sent
you send	
he/she/it sends	
we send	
you send	
they send	

FUTUR	**KONDITIONAL**
I will (shall) send	I would (should) send
PRESENT PERFECT	**PLUSQUAMPERFEKT**
I have sent	I had sent
FUTUR PERFEKT	**KONDITIONAL PERFEKT**
I will (shall) have sent	I would (should) have sent

VERBEN, DIE DEMSELBEN MUSTER FOLGEN

bend	biegen
lend	leihen
spend	ausgeben

ÄHNLICHE VERBEN

build	bauen

 VERBEN, DIE NICHT DEMSELBEN MUSTER FOLGEN

blend	(ver)mischen
fend (for oneself)	(für sich selbst) sorgen
tend	tendieren; sich kümmern um

'What *are* you *sending* in this parcel?'	»Was *schicken* Sie in diesem Paket?«

PARTIZIP PRÄSENS	*PARTIZIP PERFEKT*
sending	sent

VERLAUFSFORMEN

PRÄSENS	*PRÄTERITUM*
I am sending	I was sending
FUTUR	*KONDITIONAL*
I will (shall) be sending	I would (should) be sending
PRESENT PERFECT	*PLUSQUAMPERFEKT*
I have been sending	I had been sending
FUTUR PERFEKT	*KONDITIONAL PERFEKT*
I will (shall) have been sending	I would (should) have been sending

---

Chris **is sending** out application forms. To join his club you **should send** an SAE. He **will send** you further details. You **will** also **be sent** the first issue of his fanclub magazine. If you **send** your form **back** by the end of the month, you **will be sent** a video of his latest film.

Chris *verschickt gerade* die Anmeldeformulare. Um Mitglied in seinem Club zu werden, *solltest* du einen adressierten und frankierten Umschlag *einsenden*. Er *wird* dir weitere Einzelheiten *zuschicken*. *Man wird* dir außerdem das erste Heft der Fanclub-Illustrierten *zuschicken*. Wenn du dein Anmeldeformular vor Monatsende *zurückschickst, wird man* dir ein Video seines neuesten Films *schicken*.

I **have been bending** Adrian's ear: he is to build another house extension. He **has been lent** the money, but **is spending** it all on new CDs.

Ich *habe* Adrian *im Ohr gelegen*: er soll einen weiteren Hausanbau bauen. *Man hat* ihm das Geld *geliehen*, aber er *gibt* alles für neue CDs *aus*.

135

Unregelmäßiges Verb mit drei Formen – Muster 1–1–1

INFINITIV/IMPERATIV set/set!	*PRÄTERITUM* set

PRÄSENS I set you set he/she/it sets we set you set they set	*PRÄTERITUM* I set

FUTUR I will (shall) set	*KONDITIONAL* I would (should) set
PRESENT PERFECT I have set	*PLUSQUAMPERFEKT* I had set
FUTUR PERFEKT I will (shall) have set	*KONDITIONAL PERFEKT* I would (should) have set

---

VERBEN, DIE DEMSELBEN MUSTER FOLGEN

bet	wetten	**put**	setzen, stellen
burst	platzen	**quit**	aufhören
cast	werfen	**reset**	neu einstellen
cost	kosten	**rid**	befreien
cut	schneiden	**shed**	abwerfen
hit	schlagen	**shut**	schließen
hurt	verletzen	**split**	spalten
let	lassen; vermieten	**spread**	verbreiten

N.B.: Alle Verben, die diesem Muster folgen, enden auf **-t** oder **-d** und sind (außer Zusammensetzungen) einsilbig.

VERBEN, DIE NICHT DEMSELBEN MUSTER FOLGEN

net	mit dem Netz fangen
vet	überprüfen
whet	schärfen; (Appetit) anregen

PARTIZIP PRÄSENS	PARTIZIP PERFEKT
setting	set

VERLAUFSFORMEN

PRÄSENS	PRÄTERITUM
I am setting	I was setting

FUTUR	KONDITIONAL
I will (shall) be setting	I would (should) be setting

PRESENT PERFECT	PLUSQUAMPERFEKT
I have been setting	I had been setting

FUTUR PERFEKT	KONDITIONAL PERFEKT
I will (shall) have been setting	I would (should) have been setting

Stephen *had set* the alarm for four o'clock and *set off* early in the morning. Barbara *was setting* the table when the door bell rang which *set* Audie *off* crying.	Stephen *hatte* den Wecker für vier Uhr morgens *gestellt* und *war* früh am Morgen *aufgebrochen*. Barbara *war dabei,* den Tisch *zu decken,* als es an der Tür klingelte, was Audie *zum Weinen brachte.*
Dominic *had been set* lots of homework. He *was setting about* finishing it.	*Man hatte* Dominic viele Hausaufgaben *gegeben.* Er *machte sich (gerade) daran,* sie zu erledigen.
Mike and Sylvia *were setting* some money *aside* each month. They *set to* and repaired the house, but their plans *were set back* for a couple of years.	Mike und Sylvia *legten* jeden Monat (*regelmäßig*) etwas Geld *zur Seite.* Sie *machten sich daran* und reparierten das Haus, aber ihre Pläne *wurden* um ein paar Jahre *zurückgeworfen.*
A pilot scheme *is being set up.*	Ein Pilotprojekt *wird (zur Zeit) erstellt.*

Unregelmäßiges Verb mit fünf Formen – Muster 1–2–3

INFINITIV/IMPERATIV	*PRÄTERITUM*
show/show!	showed

PRÄSENS	*PRÄTERITUM*
I show	I showed
you show	
he/she/it shows	
we show	
you show	
they show	

FUTUR	*KONDITIONAL*
I will (shall) show	I would (should) show

PRESENT PERFECT	*PLUSQUAMPERFEKT*
I have shown	I had shown

FUTUR PERFEKT	*KONDITIONAL PERFEKT*
I will (shall) have shown	I would (should) have shown

VERBEN, DIE DEMSELBEN MUSTER FOLGEN

mow	mähen
sow	säen

 VERBEN, DIE NICHT DEMSELBEN MUSTER FOLGEN

blow	blasen
know	wissen
throw	werfen

What*'s showing* at the cinema?	Was *läuft (zur Zeit)* im Kino?
'*Are* you *going to show* me your stamp collection, or not?'	»*Willst* du mir deine Briefmarkensammlung *zeigen* oder nicht?«
'He *has* just *shown* me how to use the new software. Now I know what to do.'	»Er *hat* mir gerade die neue Software *erklärt*. Jetzt weiß ich, was ich tun muß.«

PARTIZIP PRÄSENS showing	**PARTIZIP PERFEKT** shown

VERLAUFSFORMEN

PRÄSENS I am showing	**PRÄTERITUM** I was showing
FUTUR I will (shall) be showing	**KONDITIONAL** I would (should) be showing
PRESENT PERFECT I have been showing	**PLUSQUAMPERFEKT** I had been showing
FUTUR PERFEKT I will (shall) have been showing	**KONDITIONAL PERFEKT** I would (should) have been showing

His drawing *was being shown around*.	Seine Zeichnung *wurde herumgereicht*.
He wanted *to show* his gratitude, but Gill *didn't show up* at his party.	Er wollte seine Dankbarkeit *beweisen*, aber Gill *erschien nicht* auf seiner Party.
Nic *was showing off* again. He *should have shown* more respect – he*'s been shown up* too often.	Nic *gab* wieder mal *an*. Er hätte mehr Respekt zeigen sollen – man hat ihn zu oft bloßgestellt.
If you *have sown* your lawn in spring it will have grown high enough to *be mown* in summer.	Wenn Sie Ihren Rasen im Frühjahr *gesät haben*, wird er im Sommer *zum Mähen* hoch genug gewachsen sein.

Unregelmäßiges Verb mit vier Formen – Muster 1–2–2

INFINITIV/IMPERATIV	*PRÄTERITUM*
sit/sit!	sat

PRÄSENS	*PRÄTERITUM*
I sit	I sat
you sit	
he/she/it sits	
we sit	
you sit	
they sit	

FUTUR	*KONDITIONAL*
I will (shall) sit	I would (should) sit

PRESENT PERFECT	*PLUSQUAMPERFEKT*
I have sat	I had sat

FUTUR PERFEKT	*KONDITIONAL PERFEKT*
I will (shall) have sat	I would (should) have sat

VERBEN, DIE DEMSELBEN MUSTER FOLGEN

resit (exam)	(Examen) wiederholen
spit	spucken

 VERBEN, DIE NICHT DEMSELBEN MUSTER FOLGEN

fit	passen
knit	stricken
quit	aufhören

PARTIZIP PRÄSENS	*PARTIZIP PERFEKT*
sitting	sat

VERLAUFSFORMEN

PRÄSENS	*PRÄTERITUM*
I am sitting	I was sitting

FUTUR	*KONDITIONAL*
I will (shall) be sitting	I would (should) be sitting

PRESENT PERFECT	*PLUSQUAMPERFEKT*
I have been sitting	I had been sitting

FUTUR PERFEKT	*KONDITIONAL PERFEKT*
I will (shall) have been sitting	I would (should) have been sitting

---

Auntie Rita *had been sitting* at the window for a while. The robin *sat* on the wall and pecked at a worm. It didn't realize that a cat *was sitting* behind the tree. Rita *couldn't sit by* – she chased the cat away. Hopefully the bird *will sit* there again once the cat *is* no longer *sitting* nearby.

Tante Rita *hatte* schon eine Weile am Fenster *gesessen*. Das Rotkehlchen *saß* auf der Mauer und hackte auf einem Wurm herum. Es wußte nicht, daß hinter dem Baum eine Katze *saß*. Rita *konnte nicht* einfach *zusehen* – sie jagte die Katze davon. Hoffentlich *wird* der Vogel wieder dort *sitzen*, wenn die Katze nicht mehr in der Nähe *sitzt*.

Clare and Rachel *had been sat down* in a classroom to sit the mock exams. Next year, they *will sit* GCSE exams.

Clare und Rachel *waren* in ein Klassenzimmer *gesetzt worden*, um die Probeexamen abzulegen. Nächstes Jahr *werden* sie die GCSE-Prüfungen *ablegen*.

The llama *spat* at the children.

Das Llama *spuckte* die Kinder *an*.

Unregelmäßiges Verb mit fünf Formen – Muster 1–2–3

INFINITIV/IMPERATIV	*PRÄTERITUM*
speak/speak!	spoke

PRÄSENS   **PRÄTERITUM**
I speak   I spoke
you speak
he/she/it speaks
we speak
you speak
they speak

FUTUR   **KONDITIONAL**
I will (shall) speak   I would (should) speak

PRESENT PERFECT   **PLUSQUAMPERFEKT**
I have spoken   I had spoken

FUTUR PERFEKT   **KONDITIONAL PERFEKT**
I will (shall) have spoken   I would (should) have spoken

VERBEN, DIE DEMSELBEN MUSTER FOLGEN

break *   brechen

> * Dieses Verb folgt demselben Muster in der Schreibweise, unterscheidet sich jedoch von **speak** in der Aussprache des Präsens: **speak** <spi:k>, **break** <breik>.

ÄHNLICHE VERBEN

cleave	spalten	**steal**	stehlen
freeze	(ge)frieren	**weave**	weben

 VERBEN, DIE NICHT DEMSELBEN MUSTER FOLGEN

creak	knarren
leak	lecken, durchsickern
peak	Spitzenform erreichen

'Don't *speak* until you *'re spoken to*.'	»*Sprich* nicht, bevor *man* dich anspricht.«

PARTIZIP PRÄSENS	*PARTIZIP PERFEKT*
speaking	spoken

VERLAUFSFORMEN

PRÄSENS	*PRÄTERITUM*
I am speaking	I was speaking
FUTUR	*KONDITIONAL*
I will (shall) be speaking	I would (should) be speaking
PRESENT PERFECT	*PLUSQUAMPERFEKT*
I have been speaking	I had been speaking
FUTUR PERFEKT	*KONDITIONAL PERFEKT*
I will (shall) have been speaking	I would (should) have been speaking

She *is going to speak* about the rainforest.	Sie *wird* über den Regenwald *sprechen.*
They *'ve been speaking about* redundancies for some time.	Sie *haben* schon eine Weile über Entlassungen *geredet.*
'*Did* you *speak to* her?' – 'No, I haven't *spoken to* her yet. I'*ll speak to* her tomorrow.'	»*Hast* du mit ihr *gesprochen*?« – »Nein, ich *habe* noch nicht mit ihr *gesprochen*. Ich *werde* morgen mit ihr *reden*.«
This carpet *is* already *spoken for.*	Dieser Teppich *ist* bereits *vergeben.*
'I would like *to speak* to Mrs. Jones. '– '*Speaking.*'	»Ich möchte gern mit Frau Jones *sprechen*.« – »*Am Apparat.*«
'*Speak up!*'	»*Sprich lauter!*«
This branch of the bank *has been broken into* five times during the last year.	In diese Bankfiliale *ist* im letzten Jahr fünfmal *eingebrochen worden.*

Unregelmäßiges Verb mit vier Formen – Muster 1–2–2

INFINITIV/IMPERATIV	*PRÄTERITUM*
stand/stand!	stood

PRÄSENS	*PRÄTERITUM*
I stand	I stood
you stand	
he/she/it stands	
we stand	
you stand	
they stand	

FUTUR	*KONDITIONAL*
I will (shall) stand	I would (should) stand

PRESENT PERFECT	*PLUSQUAMPERFEKT*
I have stood	I had stood

FUTUR PERFEKT	*KONDITIONAL PERFEKT*
I will (shall) have stood	I would (should) have stood

VERBEN, DIE DEMSELBEN MUSTER FOLGEN

misunderstand	mißverstehen
understand	verstehen
withstand	aushalten

 VERBEN, DIE NICHT DEMSELBEN MUSTER FOLGEN

hand	reichen, geben
land	landen
sand	schmirgeln; streuen

Ewald *misunderstood* what Edeltrud had said. He *had understood* that she would wait in front of the town hall. Unfortunately, she *had been misunderstood* by Walter, too.	Ewald *hat* Edeltrud *falsch verstanden*. Er *hatte verstanden*, daß sie vor dem Rathaus warten würde. Leider *hatte* auch Walter sie *mißverstanden*.

PARTIZIP PRÄSENS	PARTIZIP PERFEKT
standing	stood

VERLAUFSFORM

PRÄSENS	PRÄTERITUM
I am standing	I was standing
FUTUR	**KONDITIONAL**
I will (shall) be standing	I would (should) be standing
PRESENT PERFECT	**PLUSQUAMPERFEKT**
I have been standing	I had been standing
FUTUR PERFEKT	**KONDITIONAL PERFEKT**
I will (shall) have been standing	I would (should) have been standing

The cathedral *stands* high above the Rhine. It *has been standing* here for a good five hundred years. When the town was under attack during the War, it *withstood* all efforts to destroy it. Tourists *are* always *standing* around, just where once the architect must *have stood*. During the Carnival processions, so many people *will be standing* here that I must say I can't *stand* it.

Der Dom *steht* hoch über dem Rhein. Er *steht* seit über 500 Jahren hier. Als die Stadt im Krieg angegriffen wurde, *trotzte* er allen Zerstörungsversuchen. Ständig *stehen* Touristen *herum*, genau auf der Stelle, wo einst der Architekt *gestanden haben* muß. Während der Karnevalsumzüge *werden* so viele Menschen hier *stehen*, und ich muß sagen, ich kann es nicht *ertragen*.

Unregelmäßiges Verb mit fünf Formen – Muster 1–2–3

INFINITIV/IMPERATIV	*PRÄTERITUM*
take/take!	took

PRÄSENS	*PRÄTERITUM*
I take	I took
you take	
he/she/it takes	
we take	
you take	
they take	

FUTUR	*KONDITIONAL*
I will (shall) take	I would (should) take

PRESENT PERFECT	*PLUSQUAMPERFEKT*
I have taken	I had taken

FUTUR PERFEKT	*KONDITIONAL PERFEKT*
I will (shall) have taken	I would (should) have taken

VERBEN, DIE DEMSELBEN MUSTER FOLGEN

mistake	falsch verstehen
overtake	überholen
shake	schütteln
undertake	(Verantwortung usw.) auf sich nehmen, übernehmen

⚠ *VERBEN, DIE NICHT DEMSELBEN MUSTER FOLGEN*

fake	vortäuschen
make	machen
rake	harken

Kuni *was going to take* the first turning on the right, but Jojo said they *should take* the second one.	Kuni *wollte eigentlich* bei der ersten Straße rechts *abbiegen*, aber Jojo sagte, daß sie bei der zweiten *abbiegen sollten*.

PARTIZIP PRÄSENS
taking

PARTIZIP PERFEKT
taken

VERLAUFSFORMEN

PRÄSENS
I am taking

PRÄTERITUM
I was taking

FUTUR
I will (shall) be taking

KONDITIONAL
I would (should) be taking

PRESENT PERFECT
I have been taking

PLUSQUAMPERFEKT
I had been taking

FUTUR PERFEKT
I will (shall) have been taking

KONDITIONAL PERFEKT
I would (should) have been taking

Carol *is going to take photographs* at the Christmas party.

Carol *wird* auf der Weihnachtsfeier *fotografieren.*

Laura *is taking* her children to the swimming pool. Chloë *has* really *taken* to swimming.

Laura *geht* mit ihren Kindern schwimmen. Chloë *macht* das Schwimmen *viel Spaß.*

'*Take* that!' he said and knocked the other boxer out.

»*Nimm* das!« sagte er und schlug den anderen Boxer k.o.

'How long *will it take* you to finish this chapter?'

»Wie lange *werden* Sie *brauchen*, um dieses Kapitel fertigzuschreiben?«

Martyn *was* completely *taken aback*: Sue *had taken down* the bedroom curtains.

Martyn *war* vollkommen *perplex*: Sue *hatte* die Schlafzimmergardinen *abgenommen.*

In Spain, Mike *is* often *mistaken* for a native.

In Spanien *hält man* Mike oft für einen Einheimischen.

Unregelmäßiges Verb mit vier Formen – Muster 1–2–2

INFINITIV/IMPERATIV	**PRÄTERITUM**
teach/teach!	taught

PRÄSENS	**PRÄTERITUM**
I teach	I taught
you teach	
he/she/it teaches	
we teach	
you teach	
they teach	

FUTUR	**KONDITIONAL**
I will (shall) teach	I would (should) teach

PRESENT PERFECT	**PLUSQUAMPERFEKT**
I have taught	I had taught

FUTUR PERFEKT	**KONDITIONAL PERFEKT**
I will (shall) have taught	I would (should) have taught

ÄHNLICHE VERBEN

bring	bringen	**fight**	kämpfen
buy	kaufen	**seek**	suchen
catch	fangen	**think**	denken

 VERBEN, DIE NICHT DEMSELBEN MUSTER FOLGEN

leach	durchsickern (lassen)
preach	predigen
reach	reichen

Eva *was teaching* Thomas how to swim. She *had taught* herself.	Eva *brachte* Thomas das Schwimmen *bei*. Sie *hatte* es *sich selbst beigebracht*.
That*'ll teach* him (a lesson).	Das *wird* ihm *eine Lehre sein*.
She *was taught* at Oxford.	Sie *wurde* in Oxford *ausgebildet*.

PARTIZIP PRÄSENS
teaching

PARTIZIP PERFEKT
taught

VERLAUFSFORMEN

PRÄSENS
I am teaching

PRÄTERITUM
I was teaching

FUTUR
I will (shall) be teaching

KONDITIONAL
I would (should) be teaching

PRESENT PERFECT
I have been teaching

PLUSQUAMPERFEKT
I had been teaching

FUTUR PERFEKT
I will (shall) have been teaching

KONDITIONAL PERFEKT
I would (should) have been teaching

Carsten *teaches* Arabic. He *was taught* in the Middle East, and started *teaching* business people five years ago. He *would have taught* Chinese, too, but this language *is* already *being taught* by a colleague. Next year, he may also *be teaching* Gujerati.

Carsten *lehrt* Arabisch. Er *war* im Nahen Osten *ausgebildet worden* und begann vor fünf Jahren, Geschäftsleute *zu unterrichten*. Er *hätte* außerdem Chinesisch-Unterricht gegeben, aber diese Sprache *wird* bereits von einem Kollegen *gelehrt*. Nächstes Jahr *wird* er vielleicht auch Gudscharati *lehren*.

Kuni *is teaching* at the Institute.

Kuni *unterrichtet/ist Lehrer* am Institut.

Tim and Alison *have* never before *fought* with a laser gun.

Tim und Alison *haben* noch nie mit einer Laserkanone *gekämpft*.

Unregelmäßiges Verb mit vier Formen – Muster 1–2–2

INFINITIV/IMPERATIV	**PRÄTERITUM**
tell/tell!	told

PRÄSENS	**PRÄTERITUM**
I tell	I told
you tell	
he/she/it tells	
we tell	
you tell	
they tell	

FUTUR	**KONDITIONAL**
I will (shall) tell	I would (should) tell
PRESENT PERFECT	**PLUSQUAMPERFEKT**
I have told	I had told
FUTUR PERFEKT	**KONDITIONAL PERFEKT**
I will (shall) have told	I would (should) have told

VERBEN, DIE DEMSELBEN MUSTER FOLGEN

foretell	vorhersagen
retell	wiedererzählen
sell	verkaufen

 VERBEN, DIE NICHT DEMSELBEN MUSTER FOLGEN

fell	fällen
quell	unterdücken, bändigen
smell	riechen

Henry *was being told off.* He *had been told* not to get his clothes dirty.	Henry *wurde ausgeschimpft.* Man *hatte* ihm *gesagt,* daß er seine Sachen nicht dreckig machen solle.
'When'll you be back?' – 'I *can't tell* yet.'	»Wann bist du wieder da?« – »Das *weiß* ich noch *nicht.*«

PARTIZIP PRÄSENS	*PARTIZIP PERFEKT*
telling	told

VERLAUFSFORMEN

PRÄSENS	*PRÄTERITUM*
I am telling	I was telling

FUTUR	*KONDITIONAL*
I will (shall) be telling	I would (should) be telling

PRESENT PERFECT	*PLUSQUAMPERFEKT*
I have been telling	I had been telling

FUTUR PERFEKT	*KONDITIONAL PERFEKT*
I will (shall) have been telling	I would (should) have been telling

Every day, Philip *was told* that Brigid was in a meeting. Perhaps they *were* just *telling* him lies. When he *told* Brigid, she asked the secretary, 'Why *didn't* you *tell* me that Philip had phoned?'

Jeden Tag *sagte man* Philip, daß Brigid in einer Besprechung sei. Vielleicht *erzählten* sie ihm nur Lügen. Als er Brigid davon *berichtete*, fragte sie die Sekretärin: »Warum *haben* Sie mir *nicht gesagt*, daß Philip angerufen hat?«

'Where are the children?' – 'Eva *is telling* Thomas a fairy tale. He *is being told* the story of Little Red Riding Hood.'

»Wo sind die Kinder?« – »Eva *erzählt* Thomas ein Märchen. *Sie erzählt ihm* die Geschichte vom Rotkäppchen.«

Neil *sold* his motorbike because none of the garages *was selling* spare parts.

Neil *hat* sein Motorrad *verkauft*, weil keine Werkstatt Ersatzteile *verkaufte*.

Unregelmäßiges Verb mit vier Formen – Muster 1–2–2

INFINITIV/IMPERATIV	*PRÄTERITUM*
think/think!	thought

PRÄSENS	*PRÄTERITUM*
I think	I thought
you think	
he/she/it thinks	
we think	
you think	
they think	

FUTUR	*KONDITIONAL*
I will (shall) think	I would (should) think

PRESENT PERFECT	*PLUSQUAMPERFEKT*
I have thought	I had thought

FUTUR PERFEKT	*KONDITIONAL PERFEKT*
I will (shall) have thought	I would (should) have thought

VERBEN, DIE DEMSELBEN MUSTER FOLGEN

rethink   neu überdenken

ÄHNLICHE VERBEN

bring	bringen	**seek**	suchen
fight	kämpfen	**teach**	lehren

  VERBEN, DIE NICHT DEMSELBEN MUSTER FOLGEN

drink	trinken	**wink**	zwinkern
shrink	schrumpfen		

Mum *thinks* her colleagues have forgotten her birthday, but the secretary *will have thought* of everything.	Mutti *denkt*, ihre Kollegen hätten ihren Geburtstag vergessen, aber die Sekretärin *wird* an alles *gedacht haben*.

PARTIZIP PRÄSENS	*PARTIZIP PERFEKT*
thinking	thought

VERLAUFSFORMEN

PRÄSENS	*PRÄTERITUM*
I am thinking	I was thinking

FUTUR	*KONDITIONAL*
I will (shall) be thinking	I would (should) be thinking

PRESENT PERFECT	*PLUSQUAMPERFEKT*
I have been thinking	I had been thinking

FUTUR PERFEKT	*KONDITIONAL PERFEKT*
I will (shall) have been thinking	I would (should) have been thinking

Dad's concert *was thought* to have been a triumph, and he *is* now *thinking* of a world tour.	Vatis Konzert *wurde* als ein großer Triumph *angesehen*, und nun *denkt* er an eine Welttournee.
Be quiet, I'*m thinking*.	Sei still, ich *denke nach*.
'What *are* you *thinking about*?' – 'I *was thinking about* work.'	»*Woran denkst* du *gerade*?« – »Ich *dachte gerade* an die Arbeit.«
I'*ve been thinking*: this doesn't work.	Ich *habe* darüber *nachgedacht*: Das funktioniert so nicht.
He *is thinking* of giving himself up.	Er *erwägt (zur Zeit),* sich zu ergeben.
Having been thought of as an ill-mannered person, he *thought* it was time to change his image.	Da er als unhöflicher Mensch *angesehen wurde*, *meinte* er, es sei an der Zeit, seinen Ruf zu verbessern.

C
SACHREGISTER

SACHREGISTER

Eintragungen, denen ein ganzer Abschnitt gewidmet ist, sind hier fett gedruckt.

D
VERBREGISTER

Verbregister

Im folgenden Verbregister sind mehr als 2500 der häufigsten Verben aufgelistet.

Alle Verben sind auf der linken Seite auf Englisch und auf der rechten Seite auf Deutsch angegeben. Die deutsche Übersetzung gibt die hauptsächlichen Bedeutungen an. Wenn ein Verb zwei deutlich unterschiedliche Bedeutungen annehmen kann, dann sind diese im Deutschen durch ein Semikolon getrennt. Kursiv gedruckte Beispielsätze geben meist eine Bedeutungsvariante für das jeweilige Verb an.

In runden Klammern () hinter dem englischen Verb ist die häufigste grammatikalische Verwendung angegeben – ob es transitiv, intransitiv oder reflexiv verwendet wird und welche Präpositionen dem Verb normalerweise folgen [➤2b(iii)].

Für alle unregelmäßigen Verben sind in geschweiften Klammern {} die Formen des Präteritum und des Partizip Perfekt angegeben. Für Verben, die zwei verschiedene Formen für Präteritum oder Partizip Perfekt haben, werden beide genannt – die geläufigere Form steht zuerst.

Alle unregelmäßigen Verben sind hinter der deutschen Übersetzung durch die Abkürzung UR gekennzeichnet. Für in Teil B »Englische Musterverben« enthaltene regelmäßige oder unregelmäßige Verben ist die Zahl des entsprechenden Konjugationsmusters angegeben.

N.B. Die Schreibung mit **-ise** bei Verben wie **vaporise, -ize** ist ausschließlich britischer Gebrauch. Die **-ize**-Schreibung wird aber auch im Britischen Englisch akzeptiert. Manche Verben wie z.B. **advise** können jedoch nur mit **-ise** geschrieben werden.

Abkürzungen:

etw.	etwas	o.s	oneself
fam.	familiärer Ausdruck	PP	Partizip Perfekt
HV	Hilfsverb	Prt.	Präteritum
intr.	intransitiv	refl.	reflexiv
jmdm.	jemandem	tr.	transitiv
jmdn.	jemanden	unpers.	unpersönlich
mod. HV	modales Hilfsverb	vulg.	vulgärer Ausdruck

A

abandon (tr.) *She abandoned herself to his kisses.*	verlassen, aufgeben 1 *Sie gab sich seinen Küssen hin.*
abbreviate (tr.)	abkürzen 6
abolish (tr.)	abschaffen, vernichten 7
abound (intr.) (in)	reichlich vorhanden sein 1
absent (refl.)	wegbleiben 1
absolve (tr.)	freisprechen, entbinden 6
absorb (tr.)	aufsaugen, (Wissen) aufnehmen 1
abstain (intr.) (from)	sich enthalten 1
accelerate (tr. & intr.)	beschleunigen; schneller werden 6
accept (tr. & intr.)	annehmen, zusagen 1
access (tr.)	(Computer) zugreifen auf 7
accommodate (tr.)	anpassen (an); unterbringen 6
accompany (tr.)	begleiten 10
accomplish (tr.)	leisten, vollbringen 7
accord (tr. & intr.) (with)	gewähren; übereinstimmen (mit) 1
accost (tr.)	herantreten (an), jmdn. anmachen 1
account (intr.) (for)	verantwortlich sein (für); erklären 1
accumulate (tr. & intr.)	anhäufen, anwachsen 6
accuse (tr.)	anklagen, beschuldigen 6
ache (intr.)	schmerzen 6
achieve (tr.)	erreichen, erzielen 6
acknowledge (tr.)	anerkennen 6
acquire (tr.)	erwerben 6
acquit (tr.)	freisprechen 8
act (tr. & intr.)	handeln; darstellen 1
adapt (tr.)	angleichen, bearbeiten 1
add (tr. & intr.)	hinzufügen; addieren 1
address (tr.) *He addressed 200 envelopes.*	ansprechen, Rede halten 7 *Er adressierte 200 Umschläge.*
adhere (intr.) (to)	sich halten (an), befolgen; kleben (an) 6
adjourn (tr. & intr.)	(sich) vertagen 1
adjust (tr. & intr.)	(sich) angleichen, anpassen 1
administer (tr.)	verwalten 1

admire (tr.)	bewundern 6
admit (tr.)	zugeben 8
Shall we admit the public?	*Sollen wir das Publikum einlassen?*
adopt (tr.)	annehmen; adoptieren 1
adore (tr.)	verehren, anbeten 6
adorn (tr.)	zieren, schmücken 1
advance (tr. & intr.)	vorrücken, vorbringen 6
Could you advance me a week's pay?	*Könnten Sie mir das Geld für eine Woche vorausbezahlen?*
advertise (tr. & intr.)	werben (für), inserieren 6
advise (tr. & intr.) (of)	(be)raten, (jmdm. etw.) mitteilen 6
affect (tr.)	betreffen; beeinflussen 1
He affected ignorance.	*Er tat so, als wüßte er nichts davon.*
affirm (tr. & intr.)	bestätigen, bejahen 1
afflict (tr.) (with)	betreffen, heimsuchen 1
afford (tr.)	gewähren; (sich) leisten 1
age (tr. & intr.)	alt machen; alt werden 6
	[* oder 9: sowohl *ageing* als auch *aging* sind mögliche Schreibweisen]
agree (tr. & intr.)	übereinstimmen 9
They agreed to all our conditions.	*Sie stimmten unseren sämtlichen Bedingungen zu.*
Dairy products do not agree with me.	*Milchprodukte bekommen mir nicht.*
aid (tr.)	helfen 1
aim (tr. & intr.) (at)	zielen (auf) 1
air (tr.)	(be)lüften 1
She aired her views.	*Sie äußerte ihre Meinung.*
alarm (tr.)	alarmieren, beunruhigen 1
alert (tr.) (to)	alarmieren, aufmerksam machen (auf) 1
alienate (tr.)	entfremden, befremden 6
align (tr. & intr.) (with)	(aus)richten; mit jmdm. übereinstimmen 1
allege (tr.)	behaupten, etw. vorgeben 6
alleviate (tr.)	lindern, erleichtern 6
allocate (tr.) (to)	zuteilen 6
allow (tr. & intr.)	erlauben, zulassen 1

The budget didn't allow for inflation.   Das Budget hat die
Inflationsrate nicht
berücksichtigt.

allude (intr.) (to)	anspielen (auf) 6
alter (tr. & intr.)	(sich) verändern 1
alternate (tr. & intr.)	abwechseln(d kommen) 6
amalgamate (tr. & intr.)	(sich) vereinigen, verschmelzen 6
amaze (tr.)	erstaunen 6
ambush (tr.)	auflauern, im Hinterhalt liegen 7
amend (tr.)	ergänzen, berichtigen 1
amount (intr.) (to)	belaufen (auf), betragen 1
amplify (tr. & intr.)	verstärken; sich auslassen 10
amputate (tr.)	amputieren 6
amuse (tr. & refl.)	(sich) amüsieren, belustigen 6
anaesthetise, -ize (tr.)	narkotisieren, betäuben 6
analyse, -yze (tr.)	analysieren, untersuchen 6
anchor (tr. & intr.)	(ver)ankern 1
animate (tr.)	beleben, aufmuntern 6
annex (tr.)	annektieren 7
annihilate (tr.)	vernichten, beseitigen 6
announce (tr.)	anzeigen; verkünden, bekanntgeben 6
annoy (tr.)	(ver)ärgern, verdrießen 1
annul (tr.)	annullieren, für nichtig erklären 8
answer (tr. & intr.)	(be)antworten 1

He answers to the name Charley.   Er hört auf den Namen Charley.

anticipate (tr.)	vorausahnen; zuvorkommen 6
apologise, -ize (intr.) (for)	(sich für etw.) entschuldigen 6
appeal (intr.; Amerikanisch tr.) (to)	dringend um etwas bitten, appellieren 1

She appealed (against) the sentence.   Sie legte gegen das Urteil
Berufung ein.

appear (intr.)	(er)scheinen, auftreten, auftauchen 1

He appeared to enjoy himself.   Er schien sich zu amüsieren.

append (tr.)	anhängen, hinzufügen 1
applaud (tr. & intr.)	applaudieren, klatschen 1
apply (tr. & intr.)	anwenden, benutzen; auftragen 10

Are you applying for this job?   Bewerben Sie sich um diese
Stelle?

This applies to employees only. — Das gilt nur für Angestellte/trifft nur auf A. zu.

appoint (tr.) — ernennen, anstellen 1

apportion (tr.) — zuteilen, zusprechen 1

appraise (tr.) — bewerten 6

appreciate (tr. & intr.) — wertschätzen 6

The car has appreciated considerably. — *Der Wert des Autos ist enorm gestiegen.*

approach (tr. & intr.) — herantreten; nahen, (sich) nähern 7

appropriate (tr.) — beschlagnahmen, aneignen 6

approve (tr. & intr.) — genehmigen, billigen 6

approximate (tr. & intr.) — annähern, nahekommen 6

arbitrate (tr. & intr.) — schlichten 6

argue (tr. & intr.) — beweisen; streiten 6

arise (intr.) {Prt. arose, PP arisen} (from) — entstehen, stammen (von) UR

arm (tr. & refl.) — (sich) bewaffnen 1

arouse (tr.) — erwecken, erregen 6

arrange (tr. & intr.) — verabreden, vermitteln; ordnen 6

Please arrange for a taxi. — *Bitte bestellen Sie ein Taxi.*

arrest (tr.) — festnehmen, verhaften 1

arrive (intr.) — ankommen, eintreffen 6

We arrived at our decision. — *Wir haben eine Entscheidung getroffen.*

ask (tr. & intr.) — fragen; bitten um; einladen 1

He asked after you. — *Er hat sich nach dir erkundigt.*

Is it asking too much? — *Ist das zuviel verlangt?*

aspire (intr.) (to) — streben (nach) 6

assassinate (tr.) — ermorden 6

assemble (tr. & intr.) — (sich) versammeln 6

He assembled all the parts. — *Er setzte alle Teile zusammen.*

assess (tr.) — bewerten, einschätzen 7

assign (tr.) — zuweisen, zuteilen 1

assimilate (tr. & intr.) — (sich) anpassen 6

assist (tr. & intr.) — helfen 1

associate (tr. & intr.) — verbinden, assoziieren; verkehren, Umgang pflegen 6

assume (tr.) — annehmen; vermuten 6

assure (tr.) — versichern 6

astonish (tr.) — erstaunen, verwundern 7

atomise, -ize (tr.)	in Atome zerlegen; (Parfum) zerstäuben 6
attach (tr. & intr.)	anmachen, beiheften 7
attack (tr.)	angreifen, überfallen 1
attain (tr. & intr.)	erreichen 1
attempt (tr.)	versuchen 1
attend (tr. & intr.) (to)	(Kurs) besuchen; aufpassen, zuhören 1
He attends to every detail.	*Er kümmert sich um jede Einzelheit.*
attract (tr.)	anziehen; anziehend wirken 1
audit (tr.)	Bücher prüfen, revidieren 1
audition (tr. & intr.)	vorsingen, vorspielen, vorsprechen 1
authorise, -ize (tr.)	bewilligen, bevollmächtigen 6
automate (tr.)	automatisieren 6
avenge (tr.)	rächen 6
average (tr.)	Durchschnitt berechnen; durchschnittlich betragen 6
avoid (tr.)	ausweichen, umgehen, (ver)meiden 1
award (tr.)	zusprechen; erteilen, verleihen 1

B

back (tr. & intr.)	setzen auf, wetten; unterstützen; rückwärts fahren 1
Eventually they backed down.	*Letzten Endes gaben sie nach.*
back (tr. & intr.) (up)	(Computer) sichern 1
bake (tr. & intr.)	backen 6
balance (tr. & intr.)	Gleichgewicht herstellen/halten, (Konto) ausgleichen 6
band (intr.) (together)	(sich) zu einer Gruppe vereinigen 1
bandage (tr.)	verbinden, bandagieren 6
bang (tr. & intr.)	hauen, krachen 1
banish (tr.)	verbannen 7
bank (tr. & intr.) (on)	(Geld) einzahlen, ein Konto bei einer Bank haben; bauen (auf) 1
bankrupt (tr.)	bankrott gehen, Pleite machen 1
baptise, -ize (tr.)	taufen 6
bar (tr.)	verriegeln, ausschließen 8
bare (tr.)	entblößen 6

bargain (intr.)	(ver)handeln, feilschen 1
bark (intr.)	bellen 1
barricade (tr.)	(ver)barrikadieren 6
barter (tr. & intr.)	(aus)tauschen, Tauschhandel treiben 1
base (tr.) (on)	basieren, beruhen (auf) 6
bash (tr.)	verhauen, (ein)schlagen 7
bath(e) (tr. & intr.)	baden 6
be (HV; intr.)	sein; dasein, existieren 4
That is £4.50.	*Das macht £4.50.*
There is	*Es gibt*
It's a matter of	*Dabei geht es um*
to be able to	*können*
This is all about	*Hierbei dreht es sich um*
I'm about to	*Ich bin im Begriff*
I'm afraid I cannot come.	*Ich kann leider nicht kommen.*
You are allowed to	*Du darfst*
They were ashamed (of)	*Sie schämten sich*
I'm bored.	*Ich langweile mich.*
They were busy with	*Sie waren damit beschäftigt*
She's called	*Sie heißt*
They are capable of	*Sie können*
This is derived from	*Das stammt von*
It is due to her lack of sleep.	*Ihr fehlender Schlaf ist daran schuld.*
The train is due to arrive at xxx.	*Der Zug soll um xxx ankommen.*
That's enough!	*Das genügt/reicht!*
The clock is fast/slow.	*Die Uhr geht vor/nach.*
She was frightened (of)	*Sie hatte Angst (vor)*
I am going to do ...	*Ich werde (in der nahen Zukunft) etw. tun/Ich beabsichtige etw. zu tun.*
They were in agreement.	*Sie waren einer Meinung.*
Are you interested in ...?	*Interessierst du dich für ... ?*
Something is lacking.	*Etwas fehlt.*
She was late.	*Sie hat sich verspätet.*
Parents are liable (for)	*Eltern haften (für)*
It is located	*Es befindet sich*
It was missing.	*Es fehlte.*
You are mistaken.	*Du irrst dich.*
It was of no use to us.	*Es nützte uns nichts.*

The secret was out.	*Das Geheimnis war verraten.*
It was related to	*Es bezog sich auf*
You're right.	*Du hast recht.*
He was sick.	*Er übergab sich.*
Be silent, please!	*Bitte schweigen Sie!*
I'm sorry (for)	*Es tut mir leid (daß)*
They were stuck.	*Sie steckten fest.*
It's sufficient.	*Es genügt.*
You were supposed to	*Du solltest*
I'm surprised (at)	*Ich wundere mich (über)*
He was unaware of	*Er wußte nicht*
It was worthwhile.	*Es hat sich gelohnt.*
You're wrong.	*Du irrst dich.*

bear (tr. & intr.) {Prt. bore,
   PP born(e)}   (er)tragen, dulden, tolerieren;
   gebären UR

She was bearing a child.   *Sie war schwanger.*
They bore witness to (intr.)   *Sie zeugten (von)*

beat (tr. & intr.) {Prt. beat,   schlagen, (ver)prügeln, klopfen
   PP beaten}   UR 12
beckon (tr. & intr.)   (herbei)rufen, zurufen 1
become (tr. & intr.) {Prt. became,
   PP become}   werden UR 18
The picture became blurred.   *Das Bild verschwamm.*
She became ill.   *Sie erkrankte.*
They become infected.   *Sie stecken sich an.*
The sky becomes misty.   *Der Himmel wird diesig.*
What became of him?   *Was ist aus ihm geworden?*
It doesn't become you.   *Es steht dir nicht.*
befriend (tr.)   sich anfreunden (mit) 1
beg (tr. & intr.)   betteln (um), bitten 8
I beg your pardon.   *Entschuldigen Sie bitte. /Wie
   bitte?*
begin (tr. & intr.) {Prt. began,   anfangen UR 13
   PP begun}
She doesn't even begin to   *Sie versteht es nicht einmal
   understand.*   annähernd.*
behave (intr. & refl.)   sich benehmen, sich verhalten 6
believe (tr. & intr.) (in)   glauben (an); meinen, denken 6
bellow (tr. & intr.)   brüllen 1
belong (intr.)   (an)gehören, dazupassen 1
bend (tr. & intr.) {Prt. bent, PP bent}   krümmen, biegen, sich
   beugen UR

The road bends to the left.	*Die Straße macht eine Linkskurve.*
benefit (tr. & intr.)	nützen, zugute kommen, profitieren 1
bequeath (tr.)	vermachen, hinterlassen 7
besiege (tr.)	belagern, bestürmen 6
bet (tr. & intr.) {Prt. bet, PP bet}	wetten UR
betray (tr.)	verraten 1
bewilder (tr.)	verwirren 1
bewitch (tr.)	verhexen 7
bid (tr. & intr.) {Prt. bid, PP bid}	ein Angebot machen, werben; (Karten) reizen UR
She came to bid farewell.	*Sie kam, um sich zu verabschieden.*
bike (intr.)	radfahren, radeln 6
bill (tr.)	in Rechnung stellen 1
bind (tr. & intr.) {Prt. bound, PP bound}	(ver)binden (mit) UR
biodegrade (tr. & intr.)	(sich) biologisch abbauen (lassen) 6
bite (tr. & intr.) {Prt. bit, PP bitten}	beißen UR
Another one bites the dust.	*Schon wieder jemand ins Gras gebissen.*
He bit off more than he could chew.	*Er hat sich zuviel zugemutet.*
Once bitten, twice shy.	*Gebranntes Kind scheut das Feuer.*
blacken (tr. & intr.)	schwarz machen; schwarz werden 1
blackmail (tr.)	erpressen 1
blame (tr.)	verantwortlich machen, beschuldigen 6
blare (tr. & intr.)	brüllen, dröhnen 6
blast (tr. & intr.) (off)	sprengen, (Rakete) in die Luft jagen 1
Blast!	*Verdammt!*
blaze (intr.)	lodern, glühen 6
bleach (tr.)	bleichen 7
bleat (intr.)	blöken 1
bleed (tr. & intr.) {Prt. bled, PP bled}	zur Ader lassen; (ver)bluten UR
blend (tr. & intr.)	vermischen; harmonieren 1
bless (tr.)	segnen 7
Bless you!	*Gesundheit!*

blind (tr.)	(ver)blenden 1
blink (tr. & intr.)	blinken, zwinkern 1
blister (tr. & intr.)	Blasen schlagen 1
block (tr.)	(ver)sperren 1
bloom (intr.)	erblühen 1
blow (tr. & intr.) {Prt. blew, PP blown}	blasen, wehen UR 31
He blew the fuse.	Bei ihm ist die Sicherung durchgebrannt.
She blew her nose.	Sie putzte sich die Nase.
Father blows up the balloon.	Vater bläst den Luftballon auf.
Could you blow up this photograph?	Könnten Sie dieses Foto vergrößern?
The terrorist blew up the car.	Der Terrorist hat das Auto in die Luft gesprengt.
bluff (tr. & intr.)	bluffen, verblüffen 1
blur (tr. & intr.)	verwischen; verschwimmen 8
blush (intr.)	erröten 7
board (tr. & intr.)	einsteigen, besteigen 1
The window is boarded up.	Das Fenster ist mit Brettern vernagelt.
He boards in town.	Er wohnt in der Stadt.
boast (tr. & intr.)	prahlen; aufweisen können, besitzen 1
boil (tr. & intr.)	kochen, sieden 1
bolt (tr. & intr.)	verriegeln 1
The horse bolted.	Das Pferd ging durch.
bomb (tr.)	ausbomben, bombardieren 1
bond (tr. & intr.)	(sich) (ver)binden 1
bonk (tr. & intr.)	(fam.) bumsen 1
book (tr. & intr.)	buchen, reservieren 1
boom (intr.)	(wirtschaftlich) Aufschwung erleben; dröhnen 1
boot (tr. & intr.)	einen Tritt geben; (Computer) (ur)laden 1
border (tr. & intr.)	(be)grenzen, umschließen 1
bore (tr.)	langweilen; bohren 6
borrow (tr.)	borgen, entlehnen 1
boss (tr.) (about)	herumkommandieren 7
bother (tr. & intr.)	belästigen; sich sorgen um 1
Don't bother!	Bemüh dich nicht!
bottle (tr.)	in Flaschen abfüllen 6

Don't bottle up your feelings.	*Unterdrück deine Gefühle nicht.*
bounce (tr. & intr.)	aufprallen lassen; springen, hüpfen 6
bow (tr. & intr.)	(sich) verneigen 1
bowl (tr. & intr.)	Ball werfen (Cricket), Bowls spielen; rollen; kegeln 1
box (tr. & intr.) (in)	in Schachteln packen; boxen 7
She boxed my ear.	*Sie hat mich geohrfeigt.*
boycott (tr.)	boykottieren 1
braise (tr.)	schmoren 6
brake (tr. & intr.)	bremsen 6
branch (intr.) (off/out)	abzweigen, sich gabeln 7
We are thinking of branching out.	*Wir wollen unser Geschäft erweitern/expandieren.*
brawl (intr.)	lärmen, krakeelen 1
break (tr. & intr.) {Prt. broke, PP broken}	(zer)brechen, kaputtgehen UR 14
The politicians wanted to break away from the party.	*Die Politiker wollten sich von der Partei abspalten.*
He cannot break the habit.	*Er kann es sich nicht abgewöhnen.*
When he heard her confession, he broke down.	*Als er ihr Geständnis hörte, brach er zusammen.*
Last year we managed to break even.	*Letztes Jahr hatten wir weder Gewinn noch Verlust.*
New shoes have to be broken in.	*Neue Schuhe muß man einlaufen.*
The diplomat broke off the negotiations.	*Der Diplomat brach die Verhandlungen ab.*
He broke the bad news to her.	*Er hat ihr die schlechten Nachrichten beigebracht.*
breathe (tr. & intr.)	(ein)atmen 6
brew (tr. & intr.)	brauen; ziehen 1
Something's brewing (up).	*Es liegt was in der Luft/Es braut sich was zusammen.*
bribe (tr.)	bestechen 6
bridge (tr.)	überbrücken 6
bridle (tr. & intr.)	aufzäumen; sich entrüsten 6
brighten (tr. & intr.) (up)	(sich) verschöne(r)n, aufhellen 1
bring (tr.) {Prt. brought, PP brought}	bringen UR 15

That was brought about by xxx.	*xxx hat dies herbeigeführt.*
That brings back memories.	*Das beschwört Erinnerungen herauf.*
He wanted to bring home to her what was involved.	*Er wollte ihr nahebringen, worum es ging.*
He brings out a new thriller every year.	*Jedes Jahr veröffentlicht er einen neuen Thriller.*
We brought her round to the idea.	*Wir haben sie dazu überredet.*
Bringing up children is not easy.	*Es ist nicht leicht, Kinder großzuziehen.*
broadcast (tr. & intr.) {Prt. broadcast, PP broadcast}	senden (Fernsehen, Radio) UR
broaden (tr. & intr.)	(sich) verbreitern, erweitern 1
brood (intr.) (over)	über etw. (nach)grübeln 1
brown (tr. & intr.)	bräunen; braun werden 1
browse (intr.)	sich umsehen, schmökern 6
bruise (tr. & intr.)	quetschen, verhauen; einen blauen Fleck bekommen 6
brush (tr. & intr.)	bürsten 7
He brushed against me.	*Er hat mich flüchtig gestreift.*
bubble (intr.)	sprudeln 6
budget (intr.) (for)	planen, haushalten, Kosten vorausplanen 1
bug (tr.)	(Telefon) abhören, verwanzen 8
Something's bugging him.	*Irgend etwas stört ihn.*
build (tr. & intr.) {Prt. built, PP built}	bauen UR
I'd like to have the cupboard built in.	*Ich hätte gern einen Einbauschrank.*
We can build on our experience.	*Wir können auf unseren Erfahrungen aufbauen.*
He built up a good relationship with his customers.	*Er hat eine gute Beziehung zu seinen Kunden aufgebaut.*
bulge (intr.)	hervorquellen, sich bauschen 6
bully (tr.)	schikanieren, tyrannisieren 10
bump (tr. & intr.) (into)	anstoßen (an) 1
I bumped into her yesterday.	*Ich habe sie gestern zufällig getroffen.*
bundle (tr.) (up)	zusammenraffen 6
bungle (tr. & intr.)	stümpern, pfuschen 6
burgle (tr.)	einbrechen (bei/in) 6
burn (tr. & intr.) {Prt. burned/burnt, PP burned/burnt}	(ver)brennen 1/UR

The house was burnt down.   Das Haus ist niedergebrannt.
You burn up more petrol when   Wenn man schnell fährt,
  you are speeding.   verbraucht man mehr Benzin.

burst (tr. & intr.) {Prt. burst,   platzen, bersten UR
  PP burst}

bury (tr.)   beerdigen, vergraben 10

bus (tr. & intr.)   mit dem Bus befördern/fahren,
                befördern 8

bust (tr. & intr.) {Prt. bust, PP bust} zunichte machen, sprengen;
                kaputtgehen UR

bustle (intr.)   voll geschäftigen Treibens sein 6

busy (tr. & refl.)   sich damit beschäftigen 10

butter (tr.)   buttern, mit Butter beschmieren 1

button (tr.)   zuknöpfen 1

buy (tr.) {Prt. bought, PP bought}   kaufen UR 16
He bought into the business.   Er hat sich in den Betrieb
                eingekauft.

She is buying out the other   Sie kauft die anderen
  shareholders.   Teilhaber aus.

buzz (tr. & intr.)   summen, murmeln; (fam.)
                anrufen 7

bypass (tr.)   umfahren, umgehen; übergehen 7

C   calculate (tr. & intr.)   kalkulieren, (aus)rechnen, sich
                verlassen (auf) 6

call (tr. & intr.)   (herbei)rufen, -bestellen,
                schreien 1

I called you yesterday.   Ich habe dich gestern
                angerufen.

We call him Johnny.   Wir nennen ihn Johnny.
This calls for a celebration.   Das muß gefeiert werden.
She called the wedding off.   Sie hat die Hochzeit
                abgesagt.

The nurse called on you.   Die Krankenschwester hat
                dich besucht.

He called out all the members.   Er rief alle Mitglieder zum
                Streik auf.

Could you call up his file?   Könnten Sie seine Akte
                abrufen?

calm (tr. & intr.)   (sich) beruhigen 1
Calm down!   Beruhige dich!

camp (intr.)   zelten

can (mod. HV) {Prt. could}	können, fähig sein, dürfen UR
can (tr.)	eindosen, konservieren 8
cancel (tr. & intr.)	absagen, abbestellen 8
These entries cancel each other out.	*Diese Eintragungen heben sich auf.*
cap (tr.)	mit Deckel/Kappe versehen; krönen 8
capitulate (intr.)	aufgeben, kapitulieren 6
capsize (tr. & intr.)	kentern lassen; kentern 6
capture (tr.)	(ein)fangen, erobern 6
care (intr.)	sich für etwas interessieren 6
I don't care!	*Das ist mir egal!*
She cares about you.	*Sie hat dich gern.*
He doesn't care for presents.	*Er macht sich nichts aus Geschenken.*
caress (tr.)	streicheln, liebkosen 7
caricature (tr.)	karikieren 6
carry (tr. & intr.)	tragen 10
Total carried forward	*Gesamtsumme übertragen*
They carried on.	*Sie machten weiter.*
Can you carry it out?	*Können Sie es durchführen?*
carve (tr. & intr.)	(Holz) schnitzen; (Fleisch) zerlegen 6
cash (tr.)	(Scheck) einlösen, kassieren 7
cast (tr.) {Prt. cast, PP cast}	werfen, gießen; abstreifen UR
She cast off her old clothes.	*Sie rangierte ihre alten Kleidungsstücke aus.*
catalogue (tr.)	katalogisieren 6
catch (tr. & intr.) {Prt. caught, PP caught}	(auf)fangen UR 17
The lock catches.	*Das Schloß klemmt.*
He caught a disease.	*Er ist erkrankt.*
I'll catch the early train.	*Ich werde mit dem Frühzug fahren.*
She just managed to catch the bus.	*Sie hat den Bus gerade noch erwischt.*
Don't catch (a) cold!	*Erkälte dich nicht!*
This fashion will catch on.	*Diese Mode wird Anklang finden.*
We'll catch them out.	*Wir werden sie erwischen/überraschen.*
I caught sight of her.	*Ich sah sie.*
cause (tr.)	verursachen 6

celebrate (tr. & intr.)	feiern 6
censor (tr.)	zensieren 1
censure (tr.)	tadeln 6
centralise, -ize (tr. & intr.)	zentralisieren 6
centre (tr. & intr.) (on)	zentrieren; sich drehen um 6
certify (tr.)	bescheinigen; für geistig behindert erklären 10
chain (tr.)	in Ketten legen 1
chair (tr.)	einer Versammlung/ Besprechung vorstehen 1
challenge (tr.)	herausfordern 6
champion (tr.)	für jmdn./etw. eintreten 1
chance (tr. & intr.)	riskieren 6
I chanced upon him.	*Ich habe ihn zufällig getroffen.*
change (tr. & intr.)	wechseln, umtauschen, ablenken 6
You need to change trains.	*Sie müssen umsteigen.*
Could you help me change the wheel?	*Könnten Sie mir beim Reifenwechsel helfen?*
I've changed my mind.	*Ich habe es mir anders überlegt.*
You have changed.	*Du hast dich verändert.*
We'll change for dinner.	*Wir ziehen uns zum Abendessen um.*
You need to change gear.	*Du mußt hoch/runterschalten.*
The frog changed into a prince.	*Der Frosch verwandelte sich in einen Prinzen.*
channel (tr.)	leiten, lenken 8
channel-hop (intr.)	(Fernsehen) von einem Kanal zum anderen herumknipsen, herumschalten 8
characterise, -ize (tr.)	charakterisieren 6
charge (tr. & intr.)	(auf)laden 6
The soldiers charged up the hill.	*Die Soldaten stürmten den Hügel hinauf.*
We don't charge for service.	*Trinkgeld ist nicht inbegriffen.*
He was charged with careless driving.	*Er wurde des rücksichtslosen Fahrens angeklagt.*
She was charged with this task.	*Sie war damit beauftragt.*
charm (tr.)	bezaubern 1
chart (tr.)	aufzeichnen, skizzieren 1
charter (tr.)	chartern 1

chase (tr. & intr.)	jagen, (hinter jmdm.) herrennen 6
chat (intr.)	plaudern 8
cheat (tr. & intr.)	schummeln, betrügen 1
check (tr. & intr.)	prüfen, kontrollieren; stoppen 1
Check!	*Schach!*
I checked in/out.	*Ich habe mich im Hotel ein/ausgeschrieben.*
Could you check off the items?	*Könntest du bitte die Stücke abhaken?*
Please check up.	*Bitte prüfen Sie nach.*
cheer (tr. & intr.)	zujubeln, begrüßen 1
Cheer up!	*Kopf hoch!*
cherish (tr.)	wertschätzen 7
chew (tr. & intr.) (over)	kauen; über etw. nachsinnen 1
chime (tr. & intr.)	läuten 6
chink (tr. & intr.)	klirren, klimpern 1
chip (tr. & intr.)	schnitzeln; anschlagen, Ecke herausbrechen 8
choke (tr. & intr.)	würgen, ersticken, erdrosseln 6
choose (tr. & intr.) {Prt. chose, PP chosen}	aussuchen, wählen UR
chop (tr.) (off)	zerhacken, abhauen 8
chuck (tr.) (out)	(ver)werfen, rausschmeißen 1
circle (tr. & intr.)	(um)kreisen 6
circulate (tr. & intr.)	in Umlauf setzen; zirkulieren 6
circumvent (tr.)	umgehen 1
claim (tr. & intr.)	fordern, Anspruch erheben auf; behaupten 1
clamp (tr.)	festklammern 1
clap (tr. & intr.)	klatschen, applaudieren 8
clarify (tr. & intr.)	(er)klären; (sich) klären 10
class (tr.)	einordnen 7
classify (tr.)	klassifizieren 10
clean (tr. & intr.)	putzen, saubermachen 1
He cleaned me out.	*Er hat mich geschröpft.*
clear (tr. & intr.) (up)	räumen, säubern 1
They cleared out.	*Sie sind abgehauen.*
It's clearing up.	*Es hellt sich auf.*
cleave (tr.) {Prt. cleft, PP cleft}	spalten UR
cleave (intr.) (to)	festhalten 6
climb (tr. & intr.) (up)	(er)klimmen, be/auf/steigen 1
cling (intr.) (Prt. clung, PP clung} (to)	ankleben, hängen UR
clip (tr.)	be/aus/ab/schneiden 8

clock (tr.)   Zeit messen, stoppen 1
We have to clock in/out.   *Wir müssen stempeln (bei Arbeitsanfang/-ende).*

close (tr. & intr.)   (ab)schließen; sperren 6
He managed to close the deal.   *Er schaffte es, das Geschäft zum Abschluß zu bringen.*

We had to close down.   *Wir mußten (das Geschäft/die Fabrik) schließen.*

The police are closing in.   *Die Polizei kommt näher.*
clothe (tr.)   (be)kleiden 6
cloud (intr.) (over)   trüben, bewölken 1
coax (tr. & intr.)   jmdm. gut zureden, jmdn. überreden 7

coexist (intr.)   koexistieren 1
cohabit (intr.)   zusammenleben 1
coil (tr. & refl.)   (sich) aufwickeln 1
coincide (intr.) (with)   zufällig zusammentreffen 6
collaborate (intr.)   mitwirken, kollaborieren 6
collapse (intr.)   einstürzen, zusammenfallen 6
collect (tr. & intr.)   (sich) ein/an/sammeln 1
colour (tr. & intr.)   (sich) (ein)färben, kolorieren 1
comb (tr.)   kämmen; durchsuchen 1
combine (tr. & intr.)   (sich) zusammenlegen, (sich) verbinden 6

come (intr.) {Prt. came, PP come}   kommen UR 18
I came across a sentence.   *Ich habe einen Satz gefunden/entdeckt.*

They are coming after us.   *Sie (ver)folgen uns.*
Come and see me some time.   *Besuch mich mal.*
John came clean.   *John gestand alles.*
Prices are coming down.   *Die Preise werden billiger.*
The ship came in.   *Das Schiff ist eingelaufen.*
Please come in.   *(Rundfunk/Radio) Bitte sprechen Sie mit.*

He came off lightly.   *Er ist glimpflich davongekommen.*

Come on!   *Na los!/Mach schon!/Unsinn!*
That came out well.   *Das ist gut gelungen.*
She'll come round soon.   *Sie kommt bald wieder zu sich.*

Christmas is coming round again.   *Es ist bald schon wieder Weihnachten.*

Please come round.	*Bitte besuch uns mal.*
comfort (tr.)	trösten 1
command (tr.)	(jmdm.) befehlen, gebieten 1
commemorate (tr.)	gedenken 6
comment (intr.)	Kommentar ablegen, bemerken 1
commission (tr.)	beauftragen, in Auftrag geben 1
commit (tr. & refl.)	übergeben; verüben; anvertrauen 8
He committed a crime	*Er beging ein Verbrechen.*
I cannot commit myself.	*Ich kann mich nicht verpflichten/binden.*
communicate (tr. & intr.)	mitteilen, sich besprechen (mit) 6
commute (tr. & intr.)	umtauschen, wandeln; pendeln 6
compare (tr. & intr.)	vergleichen; sich vergleichen lassen 6
compel (tr.)	(er)zwingen 8
compensate (tr. & intr.) (for)	jmdn. entschädigen, Ersatz leisten für 6
compete (intr.)	konkurrieren, sich messen 6
compile (tr.)	zusammenstellen, verfassen, auflisten 6
complain (intr.) (about)	sich beschweren (über) 1
complete (tr.)	abschließen, vervollständigen ergänzen 6
complicate (tr.)	komplizieren, erschweren 6
compliment (tr.)	jmdn. zu etw. beglückwünschen 1
comply (intr.) (with)	(Regeln) befolgen, (Bitte) nachkommen 10
compose (tr. & refl.)	komponieren, verfassen 6
Compose yourself!	*Beruhige dich!*
comprehend (tr.)	verstehen, begreifen 1
compress (tr.)	zusammenpressen, verdichten 7
comprise (tr.)	umfassen, beinhalten 6
compromise (tr. & intr.)	gefährden; kompromittieren, bloßstellen; einen Kompromiß schließen 6
compute (tr.)	berechnen 6
conceal (tr.) (from)	verbergen, verheimlichen 1
concede (tr. & intr.)	einräumen, zugestehen; sich geschlagen geben 6
conceive (tr. & intr.) (of)	schwanger werden; auf eine Idee kommen 6
concentrate (tr. & intr.)	(sich) konzentrieren 6

concern (tr. & refl.)	angehen, betreffen; sich beschäftigen mit 1
conclude (tr. & intr.)	(be)enden; folgern 6
condemn (tr.)	verurteilen, verdammen 1
condense (tr. & intr.)	(sich) verdichten, kondensieren 6
conduct (tr., intr. & refl.)	leiten, dirigieren; sich benehmen 1
confer (tr. & intr.)	(einen Titel) übertragen; sich beraten (mit) 8
Cf. (= confer)	*Vergleiche (nur als Abkürzung verwendet)*
confess (tr. & intr.) (to)	beichten, gestehen 7
confide (tr. & intr.) (in)	(sich) anvertrauen 6
confine (tr.) (to)	einschränken; gefangen sein 6
confirm (tr.)	bestätigen 1
conform (intr.) (to)	(sich) anpassen (an) 1
confront (tr.)	gegenüberstellen, konfrontieren 1
confuse (tr.)	verwirren, durcheinanderbringen, verwechseln 6
congratulate (tr.)	beglückwünschen, gratulieren 6
conjure (tr. & intr.) (up)	(herbei)zaubern, beschwören 6
connect (tr. & intr.)	anschließen, verbinden; Anschluß haben 1
conquer (tr. & intr.)	erobern, (be)siegen 1
consent (intr.) (to)	einwilligen (in), genehmigen 1
conserve (tr.)	erhalten, schonen; einmachen 6
consider (tr. & intr.)	berücksichtigen, in Betracht ziehen, nachdenken 1
consist (intr.) (of)	bestehen (aus) 1
console (tr.)	trösten 6
consolidate (tr. & intr.)	(ver)stärken; festwerden 6
conspire (intr.)	(sich) verschwören, (heimlich) planen 6
constitute (tr.)	einsetzen; ausmachen, bilden 6
constrain (tr.)	zwingen, nötigen 1
construct (tr.)	bauen, konstruieren 1
consult (tr. & intr.) (with)	befragen, sich beraten 1
consume (tr.)	verbrauchen, verzehren 6
contact (tr.)	sich in Verbindung setzen (mit), kontaktieren 1
contain (tr. & refl.)	enthalten; sich beherrschen 1
contaminate (tr.)	verseuchen, vergiften 6
continue (tr. & intr.) (with)	fortsetzen 6
They continued screaming.	*Sie schrien weiter.*

contract (tr. & intr.)	sich zusammenziehen, schrumpfen; einen Vertrag abschließen; erkranken an 1
contradict (tr.)	widersprechen 1
contrast (tr. & intr.) (with)	vergleichen; im Gegensatz stehen (zu) 1
contravene (tr.)	zuwiderhandeln, verletzen 6
contribute (tr. & intr.) (to)	beitragen (zu), mitwirken (bei) 6
control (tr.)	kontrollieren, beherrschen 8
Control yourself!	*Reiß dich zusammen!*
converse (intr.) (with)	sich unterhalten (mit) 6
convert (tr. & intr.)	bekehren; umwandeln, umtauschen 1
convey (tr.)	über/ver/mitteln 1
convict (tr.)	überführen, für schuldig erklären 1
convince (tr.)	überzeugen 6
cook (tr. & intr.)	kochen; sich kochen lassen 1
What's cooking?	*Was ist los?*
cool (tr. & intr.) (down)	(ab)kühlen 1
cooperate (intr.)	zusammenarbeiten 6
coordinate (tr.)	koordinieren 6
cope (intr.) (with)	fertigwerden, zurechtfinden, zurechtkommen (mit) 6
copy (tr. & intr.)	abschreiben, kopieren 10
cork (tr.)	zukorken, verkorken 1
correct (tr.)	berichtigen, korrigieren 1
correspond (intr.) (to/with)	korrespondieren; entsprechen 1
corrode (tr. & intr.)	ätzen, zerfressen, rosten 6
corrupt (tr. & intr.)	bestechen, verderben, verkommen 1
cost (tr.) {Prt. cost, PP cost}	berechnen, kosten UR
cough (tr. & intr.)	(aus)husten 1
Cough up!	*Rück damit (Geld) heraus!*
could (mod. HV)	konnte
Could you please ...	*Könnten Sie bitte ...*
We could go tomorrow.	*Wir könnten morgen gehen.*
count (tr. & intr.)	zählen, berechnen 1
We'll count you in.	*Wir rechnen dich mit ein.*
I'm counting on you.	*Ich zähle auf dich.*
couple (tr. & intr.)	koppeln, (sich) paaren 6
court (tr.)	umwerben 1
cover (tr. & intr.)	(be)decken, beziehen 1
He was covering up for her.	*Er hat sie gedeckt.*

179

cower (intr.)	kauern, sich ducken 1
crack (tr. & intr.)	knacken, knallen 1
He cracked a joke.	*Er riß einen Witz.*
crackle (intr.)	knistern, rascheln 6
cram (tr. & intr.) (with)	vollstopfen; pauken 8
crash (tr. & intr.)	(Auto) zusammenstoßen, verunglücken, (Flugzeug) abstürzen; zertrümmern; zusammenkrachen 7
Who's crashing about there?	*Wer poltert da herum?*
crawl (intr.)	kriechen 1
The kitchen was crawling with cockroaches.	*In der Küche wimmelte es von Schaben.*
creak (intr.)	knarren 1
crease (tr. & intr.)	knittern, (sich) falten 6
create (tr.)	schaffen, ernennen 6
credit (tr.) (with)	jmdm. etw. zutrauen, zuschreiben 1
creep (intr.) {Prt. crept, PP crept}	schleichen; sich einschmeicheln UR
cremate (tr.)	einäschern 6
cripple (tr.)	lähmen, zum Krüppel machen 6
criticise, -ize (tr.)	kritisieren, besprechen 6
croak (intr.)	krächzen, quaken 1
crop (tr. & intr.)	(be)schneiden; Ernte tragen 1
cross (tr. & intr.)	durchqueren, (sich) kreuzen, überschreiten 7
He crossed out her name.	*Er strich ihren Namen aus.*
crowd (tr. & intr.)	(sich) zusammendrängen, vollstopfen 1
crown (tr.)	krönen 1
crucify (tr.)	kreuzigen 10
crumble (tr. & intr.)	(zer)bröckeln, zerkrümeln 6
crunch (tr. & intr.)	knirschen, zermalmen 7
Let's crunch some numbers.	*Machen wir uns an die Zahlen.*
crush (tr. & intr.)	(sich) quetschen, zerdrücken 7
cry (tr. & intr.)	weinen; schreien, (aus)rufen 10
crystallise, -ize (tr. & intr.)	(sich) kristallisieren; klar werden 6
cube (tr.)	in Würfel schneiden; zur dritten Potenz erheben (xxx hoch drei) 6
cuddle (tr. & intr.)	schmusen, sich kuscheln 6
cull (tr.)	auslesen, selektiv töten 1

cultivate (tr.)	anbauen, kultivieren; pflegen 6
cure (tr.)	heilen; räuchern 6
curl (tr. & intr.)	(sich) locken, ringeln, winden 1
curse (tr. & intr.)	(ver)fluchen 6
curve (tr. & intr.)	(sich) wölben, biegen 6
cut (tr. & intr.) {Prt. cut, PP cut}	(ein)schneiden, kürzen UR 19
We cut across the field.	Wir gingen querfeldein (auf dem kürzesten Weg).
Can you cut a couple of lines?	Kannst du zwei Zeilen kürzen?
The budget had been cut back.	Der Etat war zurückgeschraubt worden.
He was cut out of the will.	Er war im Testament übergangen worden.

D

dam (tr.)	eindämmen, stauen 8
damage (tr.)	schaden, (be)schädigen 6
damn (tr.)	verdammen, verfluchen 1
dampen (tr. & intr.)	feucht machen/werden 1
It dampened our spirits.	Es deprimierte uns.
dance (tr. & intr.)	tanzen (lassen) 6
dare (tr. & intr.)	wagen, riskieren 6
How dare you!	Was fällt dir ein!
I dare you to jump.	Du traust dich ja doch nicht zu springen.
darken (tr. & intr.)	verdunkeln; dunkel werden 1
darn (tr.)	stopfen, flicken 1
dart (tr. & intr.)	schleudern; sausen, flitzen 1
dash (tr. & intr.)	schlagen, schmettern; stürmen, (davon)stürzen 7
date (tr. & intr.)	datieren 6
She is dating him.	Sie geht mit ihm aus.
dawdle (tr. & intr.)	(Zeit) (ver)trödeln 6
dawn (intr.)	grauen, dämmern; klarwerden 1
daydream (intr.) {Prt. daydreamed/ daydreamt, PP daydreamed/ daydreamt}	tagträumen 1/UR
dazzle (tr.)	(ver)blenden 6
deaden (tr.)	abtöten, dämpfen 1
deafen (tr.)	taub machen 1
deal (tr. & intr.) {Prt. dealt, PP dealt} (with)	handeln (mit), (sich) befassen; Karten verteilen UR

debate (tr.)	debattieren, erwägen 6
debit (tr.)	(finanziell) belasten 1
debug (tr.)	entlausen; Fehler beseitigen 8
decay (intr.)	verfallen, verfaulen 1
deceive (tr.)	täuschen, (be)trügen 6
decide (tr. & intr.) (on)	(sich) entscheiden (für), beschließen 6
declare (tr. & intr.)	erklären, angeben 6
decline (tr. & intr.)	(sich) neigen; ablehnen 6
decode (tr.)	entschlüsseln, dekodieren 6
decompose (tr. & intr.)	(sich) zersetzen 6
decorate (tr.)	schmücken, (ver)zieren, dekorieren 6
decrease (tr. & intr.)	abnehmen, vermindern, nachlassen 6
decree (tr.)	verfügen, anordnen 9
dedicate (tr.)	weihen, widmen 6
deduce (tr.)	folgern, ableiten 6
deduct (tr.)	abziehen, subtrahieren 1
deepen (tr. & intr.)	vertiefen; tiefer werden 1
deepfreeze (tr.) {Prt. deepfroze, PP deepfrozen}	einfrieren UR
deface (tr.)	verunstalten, verschmieren 6
defeat (tr.)	schlagen, besiegen 1
defend (tr.)	verteidigen, rechtfertigen 1
defer (tr. & intr.)	aufschieben, verschieben 8
She deferred to his wishes.	*Sie fügte sich seinen Wünschen.*
define (tr.)	bestimmen, definieren 6
deflate (tr. & intr.)	Luft ablassen; Inflation beseitigen 6
deflect (tr. & intr.)	ablenken, abweichen 1
deform (tr.)	verformen, verunstalten 1
defraud (tr.)	betrügen, hinterziehen 1
defrost (tr.)	abtauen, entfrosten 1
defuse (tr.)	entschärfen 6
defy (tr.)	trotzen, sich hinwegsetzen über 10
degrade (tr. & intr.)	(sich) verschlechtern; degradieren, herabsetzen; entwürdigen 6
de-ice (tr.)	enteisen 6
deign (tr.)	geruhen, sich herablassen 1

delay (tr. & intr.)	(ver)zögern 1
delegate (tr.)	delegieren, übertragen 6
delete (tr.)	tilgen, streichen 6
deliberate (tr. & intr.)	erwägen, überlegen 6
delight (tr. & intr.) (in)	(sich) entzücken, erfreuen (an) 1
deliver (tr.)	liefern; (Kind) entbinden 1
He doesn't always deliver.	*Er leistet nicht immer das, was man von ihm erwartet.*
demand (tr.)	verlangen, fordern 1
demolish (tr.)	abreißen, vernichten 7
demonstrate (tr. & intr.)	zeigen, beweisen; demonstrieren 6
denote (tr.)	bedeuten 6
denounce (tr.)	denunzieren, anprangern 6
dent (tr.)	(ein)beulen 1
deny (tr.)	(ver)leugnen, dementieren; vorenthalten 10
depart (intr.)	abreisen, abfahren 1
depend (intr.) (on)	abhängen (von), sich verlassen (auf) 1
depict (tr.)	(bildlich) darstellen 1
deport (tr.)	abschieben, deportieren 1
deposit (tr.)	hinterlegen, deponieren 1
depreciate (tr. & intr.)	geringschätzen; abschreiben; abwerten, im Wert sinken 6
depress (tr.)	(be)drücken, deprimieren 7
derail (tr. & intr.)	entgleisen (lassen) 1
descend (tr. & intr.)	herabsteigen, niedergehen; sich erniedrigen 1
describe (tr.)	beschreiben, schildern 6
desert (tr. & intr.)	(böswillig) verlassen 1
He deserted his colours.	*Er wurde fahnenflüchtig.*
deserve (tr. & intr.)	verdienen; sich verdient machen 6
design (tr.)	entwerfen, aufzeichnen 1
desire (tr.)	begehren, wünschen 6
despair (intr.) (of)	verzweifeln (an) 1
despatch [auch: dispatch] (tr.)	(ab)senden, befördern 7
destroy (tr.)	zerstören, vernichten 1
detach (tr.)	ablösen, abtrennen 7
detail (tr.)	ausführlich beschreiben 1
detain (tr.)	jmdn. aufhalten; in Haft halten 1
detect (tr.)	entdecken, bemerken 1
deteriorate (intr.)	(sich) verschlimmern; verfallen; im Wert mindern 6

determine (tr. & intr.)	bestimmen, festlegen, beschließen 6
detest (tr.)	verabscheuen 1
devalue (tr.)	abwerten, entwerten 6
devastate (tr.)	verwüsten, vernichten 6
develop (tr. & intr.) (into)	(sich) entwickeln, werden 1
deviate (intr.) (from)	abkommen (von), abweichen (von) 6
devise (tr.)	erfinden, ausdenken 6
devote (tr. & refl.) (to)	(sich) ergeben, hingeben 6
devour (tr.)	verschlingen 1
diagnose (tr.)	diagnostizieren, feststellen 6
dial (tr. & intr.)	(Telefon) wählen 1
dice (tr. & intr.)	würfeln 6
She was dicing with death.	*Sie spielte mit dem Tod.*
dictate (tr. & intr.)	diktieren, gebieten 6
die (intr.) (of)	sterben (an) 11
His voice died away.	*Seine Stimme wurde schwächer/leiser.*
I'm dying for a beer.	*Ich brauche unbedingt ein Bier.*
diet (intr.)	Diät halten, jmdn. auf Diät setzen 1
differ (intr.)	(sich) unterscheiden; anderer Meinung sein 1
differentiate (tr. & intr.)	(sich) unterscheiden, differenzieren 6
dig (tr. & intr.) {Prt. dug, PP dug} (for)	graben, wühlen (nach) UR
He's digging his heels in.	*Er versteift sich darauf.*
Dig in!	*Greif zu!*
digest (tr. & intr.)	(sich) verdauen (lassen) 1
dilate (tr. & intr.)	(sich) erweitern (lassen) 6
dilute (tr.)	verdünnen 6
dim (tr. & intr.)	(sich) verdunkeln 1
diminish (tr. & intr.)	(sich) (ver)mindern 7
dine (tr. & intr.)	speisen, essen, bewirten 6
dip (tr. & intr.)	(ein)tauchen; (Scheinwerfer) abblenden 8
direct (tr. & intr.) (at)	leiten, richten (auf); Regie führen 1
dirty (tr.)	beschmutzen 10
disagree (intr.)	widersprechen, unterschiedlicher Meinung sein 9
disappear (intr.)	verschwinden 1

disappoint (tr.)	enttäuschen 1
disapprove (tr. & intr.) (of)	mißbilligen 6
disarm (tr. & intr.)	abrüsten, entwaffnen 1
discard (tr.)	ablegen, wegwerfen 1
discern (tr.)	wahrnehmen, unterscheiden 1
discharge (tr. & intr.)	(sich) entladen; entlassen, befreien 6
discipline (tr.)	züchtigen, disziplinieren, bestrafen 6
disclaim (tr.)	verzichten (auf); nicht verantwortlich zeichnen für 1
disclose (tr.)	bekanntgeben, enthüllen 6
disconnect (tr.)	trennen, abschalten 1
discount (tr.)	ablehnen; Preis herabsetzen 1
discourage (tr.)	entmutigen; jmdm. abraten 6
discover (tr.)	entdecken 1
discuss (tr.)	besprechen, diskutieren (über) 7
disembark (tr. & intr.)	landen, aussteigen 1
disentangle (tr. & refl.)	herauslösen; (sich) entwirren 6
disfigure (tr.)	verunstalten 6
disguise (tr.)	verkleiden; verstecken 6
disgust (tr.)	(an)ekeln, entrüsten 1
disinfect (tr.)	desinfizieren 1
disinherit (tr.)	enterben 1
disintegrate (tr. & intr.)	(sich) auflösen, zerfallen 6
dislike (tr.)	nicht mögen 6
dislocate (tr.)	verrenken 6
dismantle (tr.)	auseinandernehmen, abbauen 6
dismay (tr.)	bestürzen 1
dismiss (tr.)	entlassen, abweisen 7
disorganise, -ize (tr.)	zerrütten, in Unordnung bringen 6
disown (tr.)	verstoßen; verleugnen 1
disparage (tr.)	in Verruf bringen, herabsetzen 6
dispel (tr.)	zerstreuen, vertreiben 8
dispense (tr. & intr.) (with)	aushändigen, (Arznei) ausgeben; ohne etwas auskommen 6
disperse (tr. & intr.)	(sich) zerstreuen, verbreiten 6
displace (tr.)	verdrängen, verschleppen 6
display (tr.)	zeigen, ausstellen 1
displease (tr.)	mißfallen 6
dispose (tr. & intr.) (of)	anordnen; beseitigen 6
dispute (tr. & intr.)	(be)streiten, sich streiten; anzweifeln 6

disqualify (tr.)	disqualifizieren 10
disrupt (tr.)	(zer)stören, unterbrechen 1
dissatisfy (tr.)	nicht befriedigen 10
dissolve (tr. & intr.)	(sich) auflösen 6
dissuade (tr.) (from)	abbringen (von), abraten 6
distance (refl.) (from)	sich distanzieren, Abstand nehmen 6
distil (tr.)	destillieren; das Wesentliche entnehmen 8
distinguish (tr., intr. & refl.)	unterscheiden; ausmachen; sich hervortun 7
distort (tr.)	verdrehen, entstellen 1
distract (tr.)	zerstreuen, ablenken 1
distress (tr.)	beunruhigen, quälen 7
distribute (tr.)	aus/ver/teilen 6
distrust (tr.)	mißtrauen 1
disturb (tr.)	stören, beunruhigen 1
ditch (tr. & intr.)	Graben ziehen; (Auto) in den Straßengraben fahren; (fam.) loswerden 7
dive (intr.)	tauchen 6
diverge (intr.) (from)	auseinanderlaufen; abweichen 6
divert (tr.)	ablenken; (Verkehr) umleiten 1
divide (tr. & intr.) (by)	(sich) teilen, spalten, dividieren (durch) 6
divorce (tr. & intr.)	(Ehe) scheiden; loslösen 6
do (HV; tr. & intr.) {Prt. did, PP done}	tun, ausführen; *zur Bildung von Frage, Negation und Betonung* UR 3
It's done.	*Es ist geschafft/erledigt.*
He had to do 2 years.	*Er mußte 2 Jahre absitzen.*
She does English.	*Sie lernt Englisch.*
You did well.	*Du hast dich gut geschlagen*
That'll do.	*Das reicht schon/Das genügt.*
You've been done.	*Man hat dich übers Ohr gehauen.*
We're doing business.	*Wir machen Geschäfte (miteinander).*
Do it yourself [oder: DIY]	*selbstmachen, -bauen, basteln*
I'm doing away with exams.	*Ich schaffe Prüfungen ab.*
She was done out of her money.	*Man hat sie um ihr Geld gebracht.*

I can do without.	*Ich kann darauf verzichten.*
dodge (tr. & intr.)	vermeiden, ausweichen 6
donate (tr.)	spenden, stiften 6
dope (tr.)	betäuben, dopen 6
dose (tr.)	dosieren 6
double (tr. & intr.)	(sich) verdoppeln 6
He doubled back on himself.	*Er machte kehrt.*
She doubled up in pain.	*Sie krümmte sich vor Schmerzen.*
doubt (tr. & intr.)	(be)zweifeln 1
doze (intr.)	dösen, pennen 6
draft (tr.)	einen Entwurf machen; (zur Armee) einziehen 1
drag (tr. & intr.)	ziehen, schleppen 8
The meeting was dragging on.	*Die Versammlung zog sich hin.*
drain (tr. & intr.)	entwässern, austrocknen; abgießen, abtropfen lassen 1
draw (tr. & intr.) {Pret. drew, PP drawn}	(auf)zeichnen; ziehen UR 20
Who won? We drew.	*Wer hat gewonnen? Es ist unentschieden.*
They drew a crowd.	*Sie zogen eine Menge Leute an.*
The days are drawing in.	*Die Tage werden kürzer.*
I'd like to draw (out) some money.	*Ich möchte Geld abheben.*
He drew up in his car.	*Er fuhr in seinem Auto vor.*
Let's draw up a plan.	*Laß uns einen Plan machen.*
dread (tr.)	(sich) fürchten 1
dream (tr. & intr.) {Prt. dreamed/ dreamt, PP dreamed/dreamt} (of/about)	träumen (von) 1/UR
dress (tr. & intr.)	(sich) (be)kleiden 7
dribble (tr. & intr.)	tröpfeln; sabbern; (Fußball) dribbeln 6
drill (tr. & intr.)	bohren; drillen, einpauken 1
drink (tr. & intr.) {Prt. drank, PP drunk}	trinken UR
drip (tr. & intr.)	(ab)tropfen, triefen, tröpfeln 8
drive (tr. & intr.) {Prt. drove, PP driven}	fahren; treiben UR 21
What are you driving at?	*Worauf willst du hinaus?*
to drive in a nail	*einen Nagel einhämmern*

drizzle (tr. & intr.)	träufeln; nieseln 6
drop (tr. & intr.)	fallen (lassen) 8
They dropped by/in.	*Sie schauten vorbei.*
Could you drop me off here?	*Könnten Sie mich hier absetzen?*
She dropped out.	*Sie schied aus/ging ab.*
drown (tr. & intr.)	ertränken; ertrinken 1
drug (tr.)	unter Drogen setzen, betäuben 8
drum (tr. & intr.)	trommeln 8
dry (tr. & intr.)	(ab)trocknen 10
He's drying out.	*Er macht eine Alkoholentziehungskur.*
duck (tr. & intr.)	(sich) ducken; sich drücken (vor) 1
dumbfound (tr.)	verblüffen 1
dump (tr.)	wegwerfen, abladen; abschieben 1
duplicate (tr.)	vervielfältigen 6
dust (tr.)	abstauben; bestäuben 1
dwindle (intr.)	(ver)schwinden 6

E

earn (tr.)	verdienen, einnehmen 1
ease (tr. & intr.)	erleichtern, lindern, nachlassen 6
eat (tr. & intr.) {Prt. ate, PP eaten}	essen, fressen UR
ebb (intr.)	(ver)ebben, fallen 1
echo (tr. & intr.)	widerhallen (lassen), nachahmen 1
economise, -ize (tr. & intr.)	sparen 6
edit (tr.)	redigieren, bearbeiten 1
educate (tr.)	erziehen, ausbilden 6
ejaculate (tr. & intr.)	(Worte) ausstoßen; einen Samenerguß haben 6
elect (tr.)	(er)wählen, es vorziehen, etw. zu tun 1
electrify (tr.)	elektrisieren; begeistern 10
elevate (tr.)	anheben; veredeln 6
eliminate (tr.)	tilgen, ausscheiden 6
embark (tr. & intr.) (on)	(Reise) antreten, unternehmen; (sich) einschiffen 1
embarrass (tr.)	verlegen machen 7
embellish (tr.)	verschönern, ausschmücken 7
embezzle (tr.)	unterschlagen 6
embody (tr.)	verkörpern, darstellen 10
embrace (tr.)	umarmen, aufnehmen 6
embroider (tr.)	(be)sticken, ausschmücken 1

emerge (intr.) (from)	auftauchen, erscheinen 6
emigrate (intr.)	auswandern 6
emit (tr.)	aussenden, ausstoßen 8
emphasise, -ize (tr.)	betonen 6
employ (tr.)	anstellen, beschäftigen 1
empty (tr. & intr.)	(sich) leeren 10
emulsify (tr.)	emulgieren 10
encircle (tr.)	einkreisen, umgeben 6
enclose (tr.) (with)	beifügen, einschließen 6
Enclosed	*Anbei/in der Anlage*
encourage (tr.)	ermuntern, ermutigen 6
end (tr. & intr.) (up)	(be)enden, aufhören 1
endorse (tr.)	bestätigen; Strafpunkte auf dem Führerschein eintragen 6
endure (tr. & intr.)	aushalten, ausstehen 6
engage (tr. & intr.) (in)	engagieren; sich beteiligen 6
They got engaged.	*Sie haben sich verlobt.*
engrave (tr.)	(ein)gravieren; sich einprägen 6
enjoy (tr. & refl.)	genießen, sich erfreuen an 1
Enjoy yourself!	*Viel Spaß!*
enlarge (tr. & intr.) (on)	(ver)größern; sich auslassen über 6
enlighten (tr.)	erleuchten, aufklären 1
enlist (tr. & intr.)	rekrutieren; sich (freiwillig) melden 1
enquire [auch: inquire] (tr. & intr.)	nachfragen 6
enrage (tr.)	wütend machen 6
enrich (tr. & refl.)	(sich) bereichern 7
enrol (tr. & intr.) (in)	(sich) einschreiben 8
enslave (tr.)	versklaven 6
ensure (tr.)	sicherstellen, dafür sorgen (daß) 6
enter (tr. & intr.)	hereinkommen; eintragen, (Computer) eingeben 1
entertain (tr. & intr.)	unterhalten; Gäste empfangen 1
entice (tr.)	verführen, anlocken 6
entitle (tr.)	betiteln, bevollmächtigen 6
entrust (tr.)	anvertrauen 1
envy (tr.)	beneiden, mißgönnen 10
equal (tr.)	gleichkommen 8
equalise, -ize (tr. & intr.)	gleichziehen, (Sport) ausgleichen 6
equip (tr.)	ausrüsten, ausstatten 8

erase (tr.)	(aus)radieren, tilgen 6
erect (tr.)	aufrichten, bauen 1
erode (tr.)	wegfressen, auswaschen 6
err (intr.)	(sich) irren 1
She erred on the safe side.	*Sie war übervorsichtig.*
erupt (intr.)	ausbrechen 1
escape (tr. & intr.) (from)	entfliehen, davonkommen; nicht verstehen 6
His name escapes me.	*Ich kann mich nicht an seinen Namen erinnern.*
establish (tr.)	festsetzen, einrichten; (jmdn.) einsetzen; durchsetzen 7
estimate (tr.)	(ein)schätzen 6
evacuate (tr.)	entleeren; evakuieren 6
evaluate (tr.)	bewerten, beurteilen 6
evaporate (tr. & intr.)	verdampfen (lassen) 6
even (tr.)	einebnen; ausgleichen 1
evoke (tr.)	hervorrufen; beschwören 6
evolve (tr. & intr.)	(sich) entwickeln 6
exaggerate (tr. & intr.)	übertreiben 6
examine (tr.)	prüfen, untersuchen 6
exasperate (tr.)	ärgern, frustrieren 6
exceed (tr.)	übersteigen, zu weit gehen 1
except (tr.)	ausnehmen 1
exchange (tr.)	austauschen, umtauschen, tauschen (gegen) 6
excise (tr.)	besteuern 6
excite (tr.)	auf/er/regen 6
exclaim (tr. & intr.)	aufschreien, ausrufen 1
exclude (tr.) (from)	ausschließen 6
excuse (tr. & refl.)	(sich) entschuldigen, befreien (von) 6
execute (tr.)	ausführen, vollstrecken; hinrichten 6
exempt (tr.) (from)	befreien (von) 1
exercise (tr. & intr.)	anwenden; üben, trainieren 6
exhale (tr. & intr.)	ausatmen 6
exhaust (tr. & intr.)	erschöpfen; entleeren; ausströmen 1
exhibit (tr.)	ausstellen 1
exist (intr.)	bestehen, existieren 1
exonerate (tr.)	entbinden, entlasten 6
expand (tr. & intr.)	erweitern, (sich) ausbreiten 1

expect (tr.)	erwarten, verlangen 1
expel (tr.)	vertreiben 8
experience (tr.)	erfahren, erleben 6
experiment (intr.)	experimentieren 1
expire (intr.)	ausatmen; ablaufen; sterben 6
explain (tr. & intr.)	erklären, rechtfertigen 1
explode (tr. & intr.)	explodieren, sprengen 6
exploit (tr.)	ausnutzen, ausbeuten 1
explore (tr. & intr.)	erforschen, erkunden 6
export (tr. & intr.)	(sich) exportieren (lassen) 1
expose (tr. & refl.)	(sich) bloßstellen; aussetzen 6
express (tr.)	äußern, ausdrücken; per Expreß senden 7
extend (tr. & intr.)	(sich) erstrecken, verlängern 1
extinguish (tr.)	auslöschen 7
extort (tr.)	erpressen 1
extract (tr.)	herausholen, herausziehen 1

F

facilitate (tr.)	erleichtern, möglich machen 6
fade (tr. & intr.)	verblassen, verklingen, leise werden/machen 6
The music fades in/out.	*Die Musik wird langsam lauter/leiser.*
fail (tr. & intr.)	versagen, mißlingen, im Stich lassen 1
He failed to recognize this fact.	*Er hat diese Tatsache nicht zur Kenntnis genommen.*
She failed to recognize me.	*Sie hat mich nicht erkannt.*
faint (intr.)	in Ohnmacht fallen 1
fake (tr.)	nachmachen, vortäuschen 6
fall (intr.) {Prt. fell, PP fallen}	fallen, stürzen UR 22
I fell asleep.	*Ich bin eingeschlafen.*
Our payments are falling behind.	*Wir sind mit unseren Zahlungen ins Hintertreffen geraten.*
The rent falls due on xxx.	*Die Miete ist fällig am xxx.*
She fell ill.	*Sie erkrankte.*
I'm falling in love again.	*Ich verliebe mich schon wieder.*
They fell out.	*Sie haben sich zerstritten.*
falter (intr.)	stocken, zaudern 1
farm (tr. & intr.)	(Land) bebauen 1

Let's farm it out.	*Wir sollten es in Auftrag geben/verpachten.*
fascinate (tr.)	faszinieren 6
fashion (tr.)	herstellen, gestalten 1
fast (intr.)	fasten 1
fasten (tr. & intr.)	festmachen; (sich) schließen 1
Fasten your seatbelts.	*Bitte anschnallen.*
fatten (tr. & intr.)	dick machen/werden; mästen 1
favour (tr.)	begünstigen, vorziehen 1
fax (tr.)	faxen 7
fear (tr. & intr.)	(be)fürchten 1
feast (tr. & intr.)	sich weiden (an), schmausen; festlich bewirten 1
feed (tr. & intr.) {Prt. fed, PP fed}	füttern, (sich) ernähren, (fr)essen UR 32
feel (tr. & intr.) (Prt. felt, PP felt}	fühlen, empfinden UR 23
fell (tr.)	fällen 1
fence (tr. & intr.)	fechten; einzäunen 6
ferment (tr. & intr.)	gären; erregen 1
fetch (tr.)	holen 7
It fetched a good price.	*Es hat einen guten Preis erzielt.*
fight (tr. & intr.) {Prt. fought, PP fought} (for)	kämpfen (um) UR
file (tr. & intr.)	feilen; (Akten) ablegen; (Antrag) einreichen 6
fill (tr. & intr.)	(sich) füllen 1
The dentist had to fill a tooth.	*Der Zahnarzt mußte einen Zahn plombieren.*
Please fill in both pages.	*Bitte füllen Sie beide Seiten aus.*
Could you fill in for her?	*Könnten Sie für sie einspringen?*
Please fill her up.	*Bitte tanken Sie voll.*
film (tr. & intr.)	(ver)filmen 1
filter (tr. & intr.) (through)	filtern, (Nachricht) durchsickern 1
finance (tr.)	finanzieren 6
find (tr. & intr.) {Prt. found, PP found}	(sich) (be)finden UR 24
I find you guilty.	*Ich erkläre Sie für schuldig.*
You will be found out.	*Man wird dir auf die Schliche kommen.*
fine (tr.)	Geldstrafe auferlegen 6

finish (tr. & intr.)	(be)enden, fertigmachen 7
fire (tr. & intr.)	schießen; Feuer ergreifen/entfachen 6
He was fired.	*Er wurde gefeuert.*
fish (tr. & intr.)	fischen, angeln 7
You are fishing for compliments.	*Du angelst nur nach Komplimenten.*
fit (tr. & intr.)	(an)passen 1
She was well fitted out.	*Sie war gut ausgerüstet/ausgestattet.*
fix (tr.)	befestigen; reparieren 7
Can we fix a date?	*Können wir einen Termin vereinbaren?*
fizz (intr.)	sprudeln 7
flare (tr. & intr.) (up)	aufflackern 6
flash (tr. & intr.)	(auf)blitzen, aufleuchten 7
flatten (tr. & intr.)	ebnen, flach machen/werden 1
flatter (tr.)	schmeicheln 1
flavour (tr. & intr.)	Geschmack geben, würzen 1
flee (tr. & intr.) {Prt. fled, PP fled}	fliehen, meiden UR
flicker (intr.)	flackern, flimmern 1
flinch (intr.)	zusammenzucken 7
fling (tr.) {prt. flung, PP flung}	schleudern UR
flirt (intr.)	flirten 1
float (tr. & intr.)	treiben, schwimmen (lassen) 1
flock (intr.) (together)	sich zusammenscharen 1
flood (tr. & intr.)	überschwemmen, überfluten 1
flop (intr.) (down)	(durch)fallen, hinschmeißen 8
flourish (tr. & intr.)	schwenken; blühen, gedeihen 7
flow (intr.)	fließen 1
flower (intr.)	blühen 1
flutter (intr.)	flattern 1
fly (tr. & intr.) {Prt. flew, PP flown}	fliegen; eilen UR
foam (intr.)	schäumen 1
foil (tr.)	vereiteln 1
fold (tr. & intr.) (up)	klappen, falten; zusammenbrechen 1
follow (tr. & intr.)	ver/nach/folgen 1
Can you follow me?	*Verstehen Sie, was ich meine?*
It follows that xxx	*Folglich xxx*
Could you follow up on this?	*Könntest du der Sache weiter nachgehen?*

fondle (tr.)	liebkosen 6
forbid (tr.) {Prt. forbade, PP forbidden}	untersagen, verbieten UR
force (tr.)	(er)zwingen 6
forecast (tr.) {Prt. forecast, PP forecast}	(Wetter) voraussagen UR
foresee (tr.) {Prt. foresaw, PP foreseen}	vorhersehen UR
forestall (tr.)	verhindern, vorbeugen 1
forge (tr.)	schmieden; fälschen 6
forget (tr. & refl.) {Prt. forgot, PP forgotten}	(sich) vergessen UR
forgive (tr.) {Prt. forgave, PP forgiven}	verzeihen, vergeben UR
fork (tr. & intr.)	(sich) gabeln 1
form (tr. & intr.)	(sich) gestalten, bilden, formen 1
format (tr.)	(Computer) formatieren 1
forward (tr.)	(Brief) nachschicken 1
found (tr.)	gründen 1
fracture (tr. & intr.)	(zer)brechen 6
frame (tr.)	(um)rahmen 6
frank (tr.)	frankieren 1
free (tr.)	befreien, freilassen 9
freeze (tr. & intr.) {Prt. froze, PP frozen}	(ein)frieren UR
Freeze!	*Stehenbleiben! (Polizei)*
frequent (tr.)	frequentieren, häufig besuchen 1
freshen (tr. & intr.) (up)	auffrischen, sich erfrischen 1
frighten (tr.)	erschrecken 1
frustrate (tr.)	frustrieren; vereiteln 6
fry (tr. & intr.)	braten 10
fuck (tr.)	(vulg.) ficken 1
fulfil (tr.)	verwirklichen, erfüllen 8
function (intr.)	fungieren, funktionieren 1
furnish (tr.)	möblieren, einrichten 7
further (tr.)	befördern 1
fuse (tr. & intr.)	vereinigen; durchbrennen 6

G

gain (tr. & intr.)	gewinnen, verdienen; zunehmen 1
gamble (tr. & intr.) (away)	(ver)spielen; (Börse) spekulieren 6
gape (intr.)	gaffen, staunen; klaffen 6
garden (intr.)	gärtnern 1

gargle (intr.)	Mund ausspülen, gurgeln 6
gasp (tr. & intr.)	(aus)keuchen, nach Luft schnappen; erstaunt sein 1
gather (tr. & intr.)	raffen, (sich) (ver)sammeln 1
gaze (intr.)	(an)starren, betrachten 6
generate (tr.)	(er)zeugen, herstellen 6
get (tr. & intr.) {Prt. got, PP got/ Amer.: gotten}	bekommen, erhalten; werden; kommen UR 25
I've got xxx	*Ich besitze xxx*
I've got it!	*Ich hab's!*
Get lost!	*Hau ab!*
Can I get you to help me?	*Kann ich dich dazu überreden, mir zu helfen?*
I don't get you.	*Ich versteh dich nicht.*
He got there in time.	*Er kam rechtzeitig an.*
We don't get along.	*Wir kommen nicht miteinander aus/Wir verstehen uns nicht.*
She got away with it.	*Sie kam (ungestraft) davon.*
I'll have to get back to you.	*Da muß ich drauf zurückkommen.*
Will she get better?	*Wird sie gesund werden?*
I'll get by.	*Ich komm schon aus.*
Let's get it done.	*Laß uns damit fertigwerden.*
The weather's getting me down.	*Das Wetter deprimiert mich.*
Get (un)dressed!	*Zieh dich an (aus)!*
Don't get drunk!	*Betrink dich nicht!*
We've got engaged.	*Wir haben uns verlobt.*
Can you get hold of her?	*Kannst du sie erreichen?*
Get in(on)/off.	*Steig ein/aus (ab).*
You get on my nerves.	*Du gehst mir auf die Nerven.*
She got on well with her.	*Sie hat sich gut mit ihr verstanden.*
Get on with it!	*Los!/Mach schon (weiter)!*
Get ready!	*Mach dich fertig!/Aufgepaßt!*
Let's get started!	*Laß uns anfangen!*
She got stuck.	*Sie blieb stecken.*
It's getting to me.	*Es macht mir etwas aus/berührt mich (stark).*
We got to know them.	*Wir haben sie kennengelernt.*
Get up!	*Steh auf!*
You have to get used to it.	*Du mußt dich daran gewöhnen.*

Get well!	Gute Besserung!
He got all worked up.	Er hat sich furchtbar aufgeregt.
You've got to go.	Du mußt gehen.
giggle (intr.)	kichern 6
give (tr. & intr.) {Prt. gave, PP given}	geben, schenken; nachgeben UR 26
Could you give me a receipt, please?	Ich hätte gerne eine Quittung.
He gave away all his toys.	Er hat seine ganzen Spielsachen verschenkt.
John gave the bride away.	John war Brautvater.
She gave birth to twins.	Sie hat Zwillinge zur Welt gebracht.
Why don't you give in?	Warum gibst du nicht nach?
Finally the engine gave out.	Der Motor hat schließlich versagt.
You ought to give up smoking.	Du solltest das Rauchen aufgeben.
Give way	Vorfahrt beachten
glance (tr. & intr.) (at)	flüchtig blicken (auf); streifen 6
gleam (intr.)	schimmern, glänzen 1
glide (intr.)	gleiten, segeln 6
glimpse (tr. & intr.)	flüchtig (er)blicken 6
glow (intr.)	glühen, glimmen, leuchten 1
glue (tr.)	kleben 6
gnaw (tr. & intr.)	(zer)nagen 1
go (tr. & intr.) {Prt. went, PP gone}	gehen, fahren; werden UR 27
I am going to write.	Ich werde schreiben.
I'll go it alone.	Ich mache es im Alleingang.
It's going.	Es läuft/funktioniert.
Go on!	Mach weiter!/Mach schon!
Go!	Los!
Only five days to go!	Nur noch fünf Tage!
Go ahead!	Los!
Go away!	Hau ab!
I'd like to go away.	Ich möchte verreisen.
He went back on his word.	Er hat sein Versprechen gebrochen.
The sun goes down.	Die Sonne geht unter.
Go for it!	Bemüh dich!/Steck alles rein!
Let's go for a walk.	Laß uns spazierengehen.
The bread went mouldy.	Das Brot ist verschimmelt.
The alarm went off	Der Wecker klingelte.

The beer's gone off.	*Das Bier ist sauer geworden.*
Go on!	*Mach weiter!*
Go on talking!	*Sprich weiter!*
It's gone out of fashion.	*Es ist unmodern geworden.*
He went over to the competition.	*Er ist zur Konkurrenz übergegangen.*
She's going through with it.	*Sie macht es (tatsächlich).*
He went to pieces.	*Er ist vollkommen gebrochen.*
She goes up one grade.	*Sie steigt eine Klasse auf.*
You have to go without.	*Du mußt ohne auskommen.*
You can't go wrong.	*Nichts kann schiefgehen.*
gobble (tr.)	verschlingen 6
gossip (intr.)	klönen, schwatzen, tratschen 1
govern (tr. & intr.)	regieren, verwalten 1
grade (tr.)	abstufen, benoten, einstufen 6
graft (tr. & intr.)	veredeln; hart arbeiten 1
grant (tr.)	erteilen, gewähren 1
She granted me leave.	*Sie hat mich beurlaubt.*
grasp (tr. & intr.)	festhalten, greifen (nach), ergreifen 1
grate (tr. & intr.)	reiben, kratzen; auf die Nerven gehen 6
graze (tr. & intr.)	(auf)schürfen; weiden (lassen) 6
grease (tr.)	(ein)schmieren 6
greet (tr.)	(be)grüßen 1
grieve (tr. & intr.)	betrüben, sich grämen 6
grill (tr. & intr.)	grillen; (in der Sonne) schmoren; (fam.) verhören 1
grin (intr.)	grinsen 8
grind (tr. & intr.) {Prt. ground, PP ground}	mahlen, schleifen, knirschen UR
grip (tr.)	(er)greifen, packen 8
groan (tr. & intr.)	stöhnen, ächzen 1
groom (tr. & refl.)	(Pferd) striegeln; (sich) gut pflegen 1
grow (tr. & intr.) {Prt. grew, PP grown}	wachsen (lassen); anbauen; werden UR
When will you grow up!	*Wann wirst du erwachsen/vernünftig sein!*
You're growing old!	*Du wirst alt!*
growl (tr. & intr.)	knurren, brummen 1
grumble (intr.)	murren, schimpfen 6
grunt (tr. & intr.)	grunzen 1

guarantee (tr.)	bürgen (für), garantieren 9
guard (tr.)	bewachen; auf der Hut sein 1
guess (tr. & intr.)	(er)raten, denken 7
guide (tr.)	führen, leiten 6
guzzle (tr. & intr.)	saufen, fressen; verprassen 6

H

hack (tr. & intr.)	(zer)hacken 1
haggle (intr.)	feilschen 6
hail (tr. & intr.)	hageln; zurufen 1
She hails a cab.	*Sie winkt ein Taxi herbei.*
They hailed the princess.	*Sie jubelten der Prinzessin zu.*
halve (tr.)	halbieren 6
hammer (tr. & intr.)	(ein)hämmern 1
hamper (tr.)	hemmen, hindern 1
hand (tr.)	(über)reichen 1
I've got to hand it to you!	*Das muß ich dir lassen!*
handcuff (tr.)	in Handschellen legen 1
handicap (tr.)	behindern, benachteiligen 8
handle (tr. & intr.)	(sich) handhaben (lassen) 6
hang (tr. & intr.) {Prt. hung, PP hung}	(auf)hängen UR
She hung up.	*Sie legte (den Hörer) auf.*
hang (tr. & intr.)	(auf)hängen, henken 1
The horse thief was hanged.	*Der Pferdedieb wurde gehängt.*
happen (intr.) (to)	geschehen (mit) 1
What's happening?	*Was ist los?*
Do you happen to know xxx?	*Kennen Sie zufällig xxx?*
harass (tr.)	belästigen 7
harden (tr. & intr.)	(sich) erhärten; hart machen 1
harm (tr.)	schaden, verletzen 1
harmonise, -ize (tr. & intr.)	harmonisieren 6
harness (tr.)	anschirren; nutzbar machen 7
harvest (tr.)	ernten 1
hatch (tr. & intr.)	ausbrüten, ausschlüpfen 7
hate (tr.)	hassen, verabscheuen 6
haul (tr. & intr.)	ziehen, schleppen 1
haunt (tr.)	spuken; verfolgen 1
have (HV; tr.) {Prt. had, PP had}	haben, besitzen; *zur Bildung des Perfekt* 2/UR
I have got two cars.	*Ich habe/besitze zwei Autos.*

I have to go.	*Ich muß gehen.*
I'll have a coffee.	*Ich hätte gern einen Kaffee.*
You've been had.	*Man hat dich betrogen/auf den Arm genommen.*
Let him have it!	*Gib's ihm!*
I've got a lot on.	*Ich habe viel zu tun.*
Have a good rest/sleep.	*Ruh/Schlaf dich gut aus.*
Have a good time/Have fun.	*Viel Spaß.*
I have a lot of money at my disposal.	*Mir steht viel Geld zur Verfügung.*
What I have in mind is xxx.	*Ich stelle mir xxx vor.*
You're having me on.	*Du veräppelst mich.*
head (tr. & intr.) (towards)	vorstehen; auf etw. losgehen 1
They headed off the attack.	*Sie haben den Angriff abgewehrt.*
She was heading for disaster.	*Sie rannte voll in die Katastrophe.*
heal (tr. & intr.)	(zu)heilen 1
heap (tr. & intr.)	(sich) (be)häufen 1
hear (tr. & intr.) {Prt. heard, PP heard}	(an)hören; vernehmen UR 28
heat (tr. & intr.) (up)	heizen; sich erhitzen 1
hedge (tr. & intr.)	(mit einer Hecke) umgeben; sich decken; ausweichen 6
He hedged his bets.	*Er ging auf Nummer Sicher.*
heighten (tr. & intr.)	(er)höhen, steigen 1
help (tr. & intr.)	beistehen, helfen 1
Help yourself!	*Greif zu!*
hem (tr.) (in)	säumen; einengen 8
hesitate (intr.)	zögern 6
hew (tr.)	hauen 1
hide (tr. & intr.) {Prt. hid, PP hidden}	(sich) verstecken UR
highlight (tr.)	hervorheben, markieren 1
hijack (tr.)	entführen 1
hike (intr.)	wandern 6
hinder (tr. & intr.)	(be)hindern 1
hire (tr.) (out)	(ver)mieten; anheuern 6
hiss (tr. & intr.)	zischen, auspfeifen 7
hit (tr. & intr.) {Prt. hit, PP hit}	treffen, schlagen UR
hitch-hike (intr.)	trampen, per Anhalter fahren 6
hoard (tr. & intr.)	horten, (an)sammeln 1
hoist (tr.)	hochziehen, hissen 1
hold (tr. & intr.) {Prt. held, PP held}	halten, fassen UR 29

Please hold the line.	*Bitte bleiben Sie am Apparat (Telefon).*
He was holding back with s.th.	*Er hielt etw. zurück/geheim.*
Hold on!	*Langsam!/Warte!*
She could hold her own.	*Sie konnte sich behaupten.*
Hold (on) tight.	*Bitte festhalten.*
We were held up by the traffic.	*Wir wurden durch den Verkehr aufgehalten.*
The bank was held up.	*Die Bank wurde überfallen.*
hollow (tr.) (out)	aushöhlen 1
hook (tr. & intr.)	(sich) ein/zu/fest/haken; fangen, angeln 1
hoot (tr. & intr.)	hupen; heulen, schreien 1
hop (intr.)	hüpfen 8
hope (intr.) (for)	hoffen (auf) 6
horrify (tr.)	entsetzen 10
hound (tr.)	hetzen 1
house (tr.)	unterbringen 6
hover (intr.)	schweben 1
howl (tr. & intr.) (down)	heulen, niederschreien 1
huddle (intr.) (up)	(sich) zusammendrängen 6
hug (tr.)	umarmen 8
hum (tr. & intr.)	summen 8
humiliate (tr.)	demütigen, erniedrigen 6
hunt (tr. & intr.)	jagen 1
hurl (tr.)	schleudern 1
hurry (tr. & intr.)	(sich) (be)eilen 10
Hurry up!	*Beeil dich!/Los!/Schnell!*
hurt (tr. & intr.) {Prt. hurt, PP hurt}	wehtun, kränken UR
hype (tr.)	übertreiben, hochjubeln 6
ice (tr. & intr.) (up)	gefrieren, vereisen 6
idealise, -ize (tr.)	idealisieren 6
identify (tr.)	identifizieren 10
idle (tr. & intr.)	herum/ver/trödeln, faulenzen 6
ignite (tr. & intr.)	(sich) entzünden 6
ignore (tr.)	ignorieren, nicht beachten 6
illuminate (tr.)	beleuchten 6
illumine (tr.)	erleuchten 6
illustrate (tr.)	illustrieren; erklären 6
imagine (tr. & intr.)	sich etw. vorstellen, einbilden 6
imitate (tr.)	nachahmen 6

immigrate (intr.)	einwandern 6
immunise, -ize (tr.) (against)	schützen (vor), impfen 6
implement (tr.)	aus/durchführen 1
implicate (tr.)	verwickeln (in) 6
implore (tr.)	anflehen 6
import (tr.)	importieren 1
impress (tr.)	beeindrucken, imponieren 7
imprison (tr.)	einsperren, inhaftieren 1
improve (tr. & intr.)	(sich) verbessern 6
incense (tr.)	erzürnen 6
include (tr.)	einschließen, enthalten 6
incorporate (tr. & intr.)	(sich) vereinigen, enthalten 6
increase (tr. & intr.)	steigern, vermehren, zunehmen 6
incur (tr.)	sich etw. zuziehen, erregen 8
indemnify (tr.)	entschädigen, Schadenersatz leisten; (jmdn.) sicherstellen 10
index (tr.)	ein Verzeichnis erstellen 7
indicate (tr. & intr.)	anzeigen; blinken 6
induce (tr.)	verursachen 6
infect (tr.)	infizieren, anstecken 1
infer (tr.)	schließen, folgern 8
inflame (tr.)	entzünden 6
inflate (tr.)	aufblasen; Preise hochtreiben 6
influence (tr.)	beeinflussen 6
inform (tr. & intr.)	(sich) informieren, benachrichtigen; denunzieren 1
infringe (tr. & intr.) (on)	(Rechte) verletzen 6
inhale (tr. & intr.)	einatmen, inhalieren 6
inherit (tr. & intr.)	(er)erben 1
inhibit (tr.)	hemmen, hindern 1
initiate (tr.)	veranlassen, einweihen 6
inject (tr.)	einspritzen; einführen 1
injure (tr.)	verletzen, kränken 6
inoculate (tr.)	impfen 6
inquire [*oder: enquire] (tr. & intr.) (after)	(sich) erkundigen (nach) 6
insert (tr.)	einsetzen, einfügen 1
insist (intr.)	bestehen (auf) 1
inspect (tr.)	überprüfen, inspizieren 1
inspire (tr.)	begeistern, einflößen 6
install (tr. & refl.)	installieren, einbauen; sich niederlassen 1
instruct (tr.)	anweisen, (be)lehren 1

insult (tr.)	beleidigen 1
insure (tr.)	(sich) versichern, sichergehen 6
integrate (tr. & intr.)	(sich) integrieren, verbinden 6
intend (tr.)	beabsichtigen, vorhaben 1
intensify (tr. & intr.)	(sich) verstärken, verschärfen 10
interest (tr.)	interessieren 1
interfere (intr.)	(sich) einmischen 6
interpret (tr. & intr.)	interpretieren; dolmetschen 1
interrogate (tr.)	verhören 6
interrupt (tr.)	unterbrechen 1
intervene (intr.)	eingreifen; vermitteln 6
interview (tr.)	interviewen 1
introduce (tr.)	vorstellen, einführen 6
intrude (tr. & intr.)	stören, (sich) aufdrängen 6
invade (tr.)	überfallen, eindringen 6
invent (tr.)	erfinden 1
invest (tr. & intr.) (in)	investieren (in); sich etw. kaufen 1
investigate (tr. & intr.)	nachforschen, untersuchen 6
invite (tr.) (to)	einladen (zu), auffordern 6
involve (tr.)	einbeziehen, verwickeln 6
iron (tr. & intr.) (out)	bügeln, glätten 1
irrigate (tr.)	bewässern 6
irritate (tr.)	irritieren, reizen 6
isolate (tr.) (from)	absondern, isolieren 6
issue (tr. & intr.)	herausgeben, (Befehle) erteilen; entspringen 6
itch (intr.)	jucken 7

J	jack (tr.) (up)	hochheben, (Auto) aufbocken 1
	jam (tr. & intr.)	verstopfen, verstopft werden; (Telefonleitungen) blockieren 8
	jazz (tr.) (up)	verjazzen, aufmöbeln, aufmotzen 7
	jilt (tr.)	sitzenlassen 1
	job (intr.) (around)	Gelegenheitsarbeit machen, jobben 8
	jog (tr. & intr.)	anstoßen; joggen 8
	It jogged my memory.	*Es hat meinem Gedächtnis einen Anstoß gegeben/Es hat mich daran erinnert.*
	join (tr. & intr.)	(sich) verbinden; sich anschließen 1

She joined last year.	*Sie trat letztes Jahr bei/wurde letztes Jahr (in der Firma) eingestellt.*
Join in!	*Mach mit!*
He wanted to join up.	*Er wollte zur Armee gehen.*
joke (intr.)	scherzen, Witze machen 6
jostle (tr. & intr.)	dränge(l)n 6
judge (tr. & intr.)	(be)urteilen, Recht sprechen 6
jumble (tr.) (up)	durcheinanderbringen 6
jump (tr. & intr.)	springen, über/hoch/springen 1
He jumped the queue.	*Er hat sich vorgedrängelt.*
She jumped the gun.	*Sie hat voreilig gehandelt.*
We have to jump-start the car.	*Wir müssen den Motor mit Starthilfekabel anlassen.*
justify (tr.)	rechtfertigen 10
jut (intr.) (out)	heraus/hervor/ragen 8

K

keel (intr.) (over)	umfallen; kentern 1
keep (tr. & intr.) {Prt. kept, PP kept}	(be)halten, sich halten UR 30
She keeps herself to herself.	*Sie lebt recht zurückgezogen.*
She keeps all her love letters.	*Sie bewahrt all ihre Liebesbriefe auf.*
This needs to be kept dry.	*Das darf nicht naß werden.*
She is keeping him.	*Sie finanziert seinen Unterhalt.*
We must keep going.	*Wir müssen durchhalten.*
The cake won't keep.	*Der Kuchen verdirbt leicht.*
How are you keeping?	*Wie geht es dir?*
Keep at it!	*Mach weiter (so)!*
She keeps away.	*Sie hält sich fern.*
He keeps quiet about her.	*Er verschweigt sie.*
Keep still!	*Halt still!*
He is keeping s.th. back.	*Er verschweigt etwas.*
Keep your feet off the seat.	*Nimm die Füße vom Sitz.*
Keep on singing.	*Sing weiter.*
They keep up with the Joneses.	*Sie wollen es den Nachbarn gleichtun.*
key (tr.) (in)	eintippen, programmieren 1
kick (tr. & intr.)	treten, stoßen 1
kidnap (tr.)	entführen 8
kill (tr. & intr.)	töten, umbringen 1
kip (intr.)	(fam.) nicken, pennen 8

VERBREGISTER

kiss (tr. & intr.)	(sich) küssen 7
kneel (intr.) {Prt. knelt, PP knelt} (down)	(sich) (hin)knien UR
knife (tr.)	mit dem Messer (er)stechen 6
He knifed me in the back.	*Er fiel mir in den Rücken.*
knit (tr. & intr.)	stricken 8
knock (tr. & intr.)	schlagen, klopfen, pochen 1
Don't knock it.	*Mach es nicht schlecht./ Verwirf es nicht.*
He knocked off work.	*Er machte Feierabend.*
The price was knocked down.	*Der Preis war herabgesetzt.*
I'm knocked out.	*Ich bin k.o./vollkommen kaputt.*
She knocked over an old lady.	*Sie überfuhr eine alte Dame.*
knot (tr. & intr.)	(sich) (ver)knoten 8
know (tr. & intr.) {Prt. knew, PP known} (about/of)	kennen, wissen (über/von) UR 31
I know my way around.	*Ich kenne mich aus.*
She knows French.	*Sie spricht französisch.*
He knows how to cook.	*Er kann kochen.*

L

label (tr.)	beschriften, mit Schild/Etikett versehen 8
labour (tr. & intr.)	arbeiten, sich anstrengen; ausführlich behandeln 1
lack (tr. & intr.)	mangeln (an) 1
ladle (tr.)	(aus)schöpfen 6
lag (tr. & intr.)	zurückbleiben; isolieren 8
lament (tr. & intr.)	jammern, beklagen 1
land (tr. & intr.)	landen; an Land bringen 1
lap (tr. & intr.) (up)	umfalten; (Sport) überrunden; (aus)lecken 8
last (tr. & intr.) (out)	(über)dauern, währen 1
laugh (intr.)	lachen 1
lay (tr. & intr.) {Prt. laid, PP laid}	legen UR
He laid the table.	*Er deckte den Tisch.*
Lay off!	*Laß mich in Frieden!*
Can you lay out this page?	*Könnten Sie bitte das Layout für diese Seite gestalten?*
lead (tr. & intr.) {Prt. led, PP led}	führen, leiten, befehligen UR 32
I was led astray.	*Ich bin (dazu) verleitet worden.*

leaf (intr.) (through)	durchblättern 1
leak (tr. & intr.)	durchlassen; lecken, durchsickern 1
lean (tr. & intr.) {Prt. leaned/leant, PP leaned/leant} (on/against)	(sich) neigen, (an)lehnen 1/UR
He was leaning on me.	*Er übte Druck auf mich aus.*
leap (tr. & intr.) {Prt. leaped/leapt, PP leaped/leapt}	(über)springen 1/UR
learn (tr. & intr.){Prt. learned/learnt, PP learned/learnt}	(er)lernen, erfahren 1/UR
She learned the poem by heart.	*Sie lernte das Gedicht auswendig.*
lease (tr.) (out)	mieten, (ver)pachten 6
leave (tr. & intr.) {Prt. left, PP left}	(ver)lassen UR 33
I feel left out.	*Ich fühle mich übergangen.*
Leave me alone!	*Laß mich in Ruhe!*
legalise, -ize (tr.)	legalisieren, rechtskräftig machen 6
lend (tr.) {Prt. lent, PP lent}	ver/aus/leihen UR
Lend me a hand, please.	*Hilf mir bitte.*
lessen (tr. & intr.)	(sich) vermindern 1
let (tr.) {Prt. let, PP let}	lassen; vermieten UR 34
Let's go!	*Gehen wir! (für Imperativ 1. Person Plural)*
Let alone xxx	*Ganz zu schweigen von xxx*
He let me down.	*Er hat mich enttäuscht/im Stich gelassen.*
I can't let go.	*Ich komm davon nicht los.*
The roof is letting in water.	*Das Dach ist nicht wasserdicht.*
He had to let off steam.	*Er mußte sich Luft machen.*
We have to let out the hem.	*Wir müssen den Saum auslassen.*
level (tr.)	einebnen 8
liaise (intr.) (with)	mit jmdm. in Verbindung stehen/bleiben 6
licence (tr.)	lizenzieren, amtlich genehmigen 6
This restaurant is licensed.	*Dieses Restaurant ist zum Verkauf von Alkohol berechtigt.*
lick (tr. & intr.)	lecken, züngeln 1
lie (intr.) (to)	lügen, schwindeln 11
lie (intr.) {Prt. lay, PP lain}	liegen UR 35

I want to lie down.	*Ich möchte mich hinlegen.*
Let's lie low.	*Laß uns versteckt bleiben/uns still verhalten*
lift (tr. & intr.)	(sich) heben 1
The plane lifted off.	*Das Flugzeug hob ab.*
Lift the receiver.	*Heb den Hörer ab.*
light (tr.) {Prt. lit/lighted, PP lit/lighted} (up)	(an)zünden, erleuchten 1/UR 36
lighten (tr. & intr.)	leichter werden/machen 1
like (tr. & intr.)	mögen, wollen 6
I'd like a beer, please.	*Ich hätte gern ein Bier.*
She likes dancing.	*Sie tanzt gerne.*
I like that!	*(ironisch) Das ist ja ein starkes Stück!*
limit (tr.)	begrenzen, beschränken 1
limp (intr.)	hinken, humpeln 1
line (tr. & intr.)	linieren, zeichnen 6
The soldiers lined up.	*Die Soldaten stellten sich in einer Reihe auf.*
This dress should be lined.	*Dieses Kleid müßte gefüttert werden.*
Millions lined the street.	*Millionen von Menschen säumten die Straßen.*
linger (intr.)	zögern, verweilen 1
link (tr. & intr.)	(sich) verbinden, verketten 1
They linked arms.	*Sie hakten sich unter.*
liquify (tr. & intr.)	(sich) verflüssigen 10
list (tr.)	aufschreiben, verzeichnen 1
listen (intr.) (to)	horchen, zuhören; Rat befolgen 1
live (intr.)	leben 6
You'll live to regret this!	*Das wirst du nochmal bereuen!*
She lives in Brighton.	*Sie wohnt in Brighton.*
He lives on bread and water.	*Er ernährt sich nur von Brot und Wasser.*
I don't want to live through this again.	*Das will ich nicht nochmal durchmachen.*
He'll never live it down.	*Da wird er nie drüber hinwegkommen.*
Can she live up to it?	*Kann sie ihr Versprechen einhalten/ihrem Ruf gerecht werden?*
load (tr.)	(be)laden 1

locate (tr.)	ausfindig machen 6
lock (tr. & intr.)	zu/ver/schließen; einsperren 1
The wheels locked into each other.	*Die Räder griffen ineinander.*
loiter (intr.)	herumlungern; bummeln 1
long (intr.) (for)	sich sehnen (nach) 1
look (tr. & intr.) (at)	schauen, gucken (auf) 1
I'll look after it.	*Ich kümmere mich drum/Ich bewahre es auf.*
I'm looking for my glasses.	*Ich suche meine Brille.*
He looks forward to the holiday.	*Er freut sich auf die Ferien.*
I'm looking into this case.	*Ich untersuche diesen Fall.*
She looks like her mother.	*Sie ähnelt ihrer Mutter.*
It looks unlikely.	*Es sieht nicht so aus/Es ist unwahrscheinlich.*
Look it up.	*Schlag nach.*
loosen (tr. & intr.)	(sich) lockern 1
loot (tr. & intr.)	erbeuten, ausrauben 1
lose (tr. & intr.) {Prt. lost, PP lost}	verlieren UR 37
He lost his temper.	*Ihm platzte der Kragen.*
She lost her way.	*Sie hat sich verfahren/verirrt.*
They lost their lives.	*Sie sind umgekommen.*
love (tr. & intr.)	lieben 6
I love travelling.	*Ich reise gern.*
lower (tr. & intr.)	niedriger machen; herablassen, senken; erniedrigen 1
lug (tr.)	schleppen 8
lull (tr.)	einlullen, in Sicherheit wiegen 1
lunch (intr.)	zu Mittag essen 7
lure (tr.)	anlocken, verlocken 6
lust (intr.) (for/after)	gelüsten (nach) 1

M

madden (tr.)	verrückt machen 1
magnetise, -ize (tr.)	magnetisieren; anziehen, fesseln 6
mail (tr.)	per Post abschicken, senden, (Brief) einwerfen 1
maintain (tr.)	beibehalten; behaupten; versorgen 1
make (tr.) {Prt. made, PP made}	machen, herstellen UR 38
I made a mess of it.	*Ich habe es verhauen.*
Let's make a start.	*Fangen wir an.*
She made an effort.	*Sie hat sich bemüht.*

I wanted to make it easier for you.	*Ich wollte es dir erleichtern.*
He made for the door.	*Er ging/rannte auf die Tür zu.*
Have you made any friends?	*Hast du dich mit jemandem angefreundet?*
Make haste.	*Beeil dich.*
Let's make love.	*Laß uns miteinander schlafen/ins Bett gehen.*
I'll make my own way there.	*Ich fahre/gehe alleine dorthin.*
She made out a cheque.	*Sie stellte einen Scheck aus.*
The children made up.	*Die Kinder haben sich geschminkt.*
Let's make up.	*Vertragen wir uns wieder.*
I've made up my mind.	*Ich habe mich entschlossen.*
manage (tr. & intr.)	führen, leiten; schaffen 6
manufacture (tr.)	herstellen 6
march (tr. & intr.)	marschieren (lassen) 7
mark (tr. & intr.)	markieren, kennzeichnen; notieren; aufpassen 1
market (tr.)	vermarkten 1
marry (tr. & intr.)	(sich) (ver)heiraten 10
massacre (tr.)	niedermetzeln 6
master (tr.)	beherrschen 1
match (tr. & intr.)	(zusammen)passen 7
mate (tr. & intr.)	(sich) paaren 6
matter (intr.)	wichtig sein 1
It doesn't matter.	*Es macht nichts.*
What's the matter?	*Was ist denn los?*
may (mod. HV) {Prt. might}	dürfen, mögen, können UR
May it be a happy day!	*Auf daß es ein glücklicher Tag werde!*
Be that as it may.	*Wie dem auch sei.*
mean (tr.) {Prt. meant, PP meant}	meinen, bedeuten, beabsichtigen UR 39
measure (tr. & intr.)	(ver)messen 6
meet (tr. & intr.) {Prt. met, PP met}	(sich) treffen, begegnen; kennenlernen UR 40
melt (tr. & intr.)	(zer)schmelzen 1
memorise, -ize (tr.)	sich etw. einprägen, auswendig lernen 6
mend (tr. & intr.)	flicken, ausbessern; sich bessern; genesen 1
mention (tr.)	erwähnen 1
Don't mention it.	*Es ist nicht der Rede wert.*

merge (tr. & intr.)	fusionieren, zusammenlaufen 6
mess (tr. & intr.) (about)	in Unordnung bringen; herumpfuschen; mit jmdm. spielen 7
mew (intr.)	miauen 1
microwave (tr.)	mit Mikrowelle kochen/ braten/ erhitzen 6
might (mod. HV) {Prt. *von* may}	eventuell etw. tun; dürften, könnten UR
migrate (intr.)	(aus)wandern 6
milk (tr.)	melken; schröpfen 1
mill (tr. & intr.)	mahlen, walzen; herumirren 1
mime (tr. & intr.)	mimen, nachahmen 6
mince (tr. & intr.)	zerhacken, kleinschneiden 6
She didn't mince her words.	*Sie sprach frei von der Leber weg/nahm kein Blatt vor den Mund.*
mind (tr. & intr.)	(be)achten, sich in acht nehmen 1
Do you mind if I listen?	*Hätten Sie etwas dagegen, wenn ich zuhöre?*
Mind your own business.	*Kümmer dich um deine eigenen Angelegenheiten.*
Mind the step.	*Achtung Stufe.*
mine (tr. & intr.)	graben, abbauen; minieren 6
minute (tr.)	Protokoll aufnehmen 6
mirror (tr.)	(wider)spiegeln 1
miscarry (intr.)	Fehlgeburt haben; mißlingen 10
misinform (tr.)	falsch informieren, aussagen 1
misinterpret (tr.)	mißverstehen, mißdeuten 1
misjudge (tr.)	verkennen, falsch einschätzen 6
mislead (tr.) {Prt. misled, PP misled}	irreführen UR
miss (tr. & intr.)	vermissen; verfehlen, verpassen; vorbeischießen 7
mistake (tr.) {Prt. mistook, PP mistaken}	verwechseln; nicht erkennen UR
mistreat (tr.)	mißhandeln, schlecht behandeln 1
mistrust (tr.)	mißtrauen 1
misunderstand (tr. & intr.) {Prt. misunderstood, PP misunderstood}	mißverstehen UR
misuse (tr.)	mißbrauchen 6
mix (tr. & intr.)	(ver)mischen, verrühren; sich vermischen lassen 7

moan (intr.)	klagen, stöhnen, jammern 1
mock (tr. & intr.)	(ver)spotten, sich lustig machen (über) 1
model (tr. & intr.)	Modell stehen; modellieren, gestalten 8
modernise, -ize (tr. & intr.)	(sich) modernisieren 6
modify (tr.)	modifizieren, abwandeln 10
moisten (tr. & intr.)	befeuchten; feucht werden 1
molest (tr.)	belästigen 1
monitor (tr.)	überwachen 1
monopolise, -ize (tr.)	monopolisieren, mit Beschlag belegen 6
moonlight (intr.)	schwarzarbeiten 1
moor (tr. & intr.)	festmachen, verankern 1
mortgage (tr.)	Hypothek aufnehmen (auf), verpfänden 6
mother (tr.)	bemuttern; gebären 1
motivate (tr.)	motivieren 6
mould (tr. & intr.)	formen, modellieren; Gestalt annehmen 1
moult (tr. & intr.)	mausern, Federn abwerfen 1
mount (tr. & intr.)	(er)steigen; (Schulden) ansteigen 1
He mounted the horse.	*Er bestieg das Pferd.*
She mounted the poster.	*Sie zog das Poster auf/rahmte das Poster.*
mourn (tr. & intr.) (for)	(be)trauern (um) 1
move (tr. & intr.)	(sich) bewegen, versetzen, rücken 6
We'll move (house) in March.	*Wir ziehen im März um.*
He moved an amendment.	*Er stellte einen Abänderungsantrag.*
She was moved to tears.	*Sie war zu Tränen gerührt.*
mow (tr. & intr.) {Prt. mowed, PP mown/mowed}	mähen 1/UR
muddle (tr. & intr.) (up)	durcheinanderbringen, verpfuschen 6
muffle (tr.)	dämpfen 6
multiply (tr. & intr.)	(sich) vermehren; multiplizieren 10
murder (tr.)	(er)morden 1
murmur (tr. & intr.)	murmeln 1
must (mod. HV) *{nur im Präsens}*	müssen UR
She must be at least 50.	*Sie ist mindestens 50.*

You must visit us.

Sie müssen uns unbedingt besuchen kommen.

N

nag (tr. & intr.)	(be)nörgeln, meckern 8
nail (tr.) (down)	(zu)nageln, festnageln (auf) 1
name (tr.)	(er)nennen, bestimmen 6
narrate (tr.)	erzählen 6
narrow (tr. & intr.)	(sich) verengen 1
naturalise, -ize (tr.)	einbürgern 6
near (tr. & intr.)	(sich) nähern 1
need (tr. & HV)	brauchen, bedürfen, benötigen 1
It needs painting.	*Es muß gestrichen werden.*
You need not have written.	*Du hättest nicht zu schreiben brauchen.*

neglect (tr.)	vernachlässigen 1
negotiate (tr. & intr.)	verhandeln (über) 6
neigh (intr.)	wiehern 1
nest (intr.)	(sich) (ein)nisten, ein Nest bauen 1
net (tr.)	(im Netz) einfangen 8
neutralise, -ize (tr.)	neutralisieren 6
nibble (tr. & intr.)	(be)knabbern 6
nick (tr.)	einkerben; klauen 1
nod (tr. & intr.)	(zu)nicken 8
She nodded off.	*Sie nickte ein.*
nose (tr. & intr.) (around)	(herum)schnüffeln 6
note (tr.) (down)	(be)merken; aufschreiben, notieren 6
notice (tr.)	bemerken 6
notify (tr.)	benachrichtigen, verständigen 10
number (tr. & intr.)	(auf)zählen, numerieren 1
nurse (tr.)	säugen, stillen; pflegen 6

O

obey (tr. & intr.)	gehorchen 1
object (intr.) (to)	einwenden, etw. dagegen haben 1
oblige (tr. & intr.)	nötigen, zwingen; den Wünschen nachkommen 6
observe (tr. & intr.)	beobachten; beachten 6
obstruct (tr.)	versperren, blockieren 1
obtain (tr.)	erlangen, bekommen, erreichen 1
occupy (tr.)	belegen, besetzen 10
occur (intr.)	vorkommen, sich ereignen 8

It occurred to me xxx	*Es fiel mir ein, daß xxx*
offend (tr. & intr.)	beleidigen, Anstoß erregen 1
offer (tr. & intr.)	(sich) (an)bieten 1
oil (tr.)	(ein)ölen 1
omit (tr.)	auslassen, vergessen 8
open (tr. & intr.)	(sich) öffnen, aufschlagen 1
She opened the conference.	*Sie eröffnete die Konferenz.*
The town was opened up to tourism.	*Die Stadt wurde dem Tourismus erschlossen.*
operate (tr. & intr.) (on)	arbeiten, bewirken; operieren 6
oppose (tr.)	entgegenstellen, sich widersetzen 6
order (tr.)	bestellen; befehlen; in Ordnung bringen 1
organise, -ize (tr. & intr.)	(sich) organisieren, veranstalten 6
orientate (tr. & refl.)	(sich) orientieren 6
oscillate (intr.)	schwingen, schwanken 6
ought (mod HV) *{nur im Präsens}* **(to)**	sollte, müßte UR
outline (tr.)	umreißen, Überblick geben 6
outrage (tr.)	empören 6
outweigh (tr.)	überwiegen, wichtiger sein 1
overbear (tr.) {Prt. overbore, PP overborne}	überwältigen UR
overcharge (tr. & intr.)	zuviel (Geld) verlangen 6
overcome (tr.) {Prt. overcame, PP overcome}	siegen, bewältigen, überwinden UR
overdo (tr.) {Prt. overdid, PP overdone}	es übertreiben UR
overdraw (tr. & intr.) {Prt. overdrew, PP overdrawn}	(Konto) überziehen UR
overestimate (tr.)	überschätzen 6
overflow (tr. & intr.) {Prt. overflew, PP overflown}	überlaufen, überfluten UR
overhang (tr. & intr.) {Prt. overhung, PP overhung}	hervorstehen, überhängen UR
overindulge (tr. & intr.)	zu nachsichtig behandeln; übermäßig frönen 6
overlook (tr.)	überblicken; übersehen 1
overrule (tr.)	Urteil umstoßen; verwerfen, ablehnen 6
overrun (tr.) {Prt. overran, PP overrun}	überschwemmen, wimmeln von UR

oversleep (tr. & intr.) {Prt. overslept, PP overslept}	verschlafen UR
overtake (tr.) {Prt. overtook, PP overtaken}	überholen UR
overwhelm (tr.)	überwältigen 1
owe (tr.) (to)	schulden; verdanken 6
own (tr.)	besitzen 1
Own up!	*Gesteh es!*
oxidise, -ize (tr. & intr.)	oxydieren 6

P

pack (tr. & intr.)	(ver)packen 1
package (tr.)	ver/ein/packen 6
paddle (tr. & intr.)	paddeln 6
pain (tr.)	(geistig) schmerzen, weh tun 1
paint (tr. & intr.)	malen, streichen 1
pale (intr.)	blaß werden, erbleichen 6
pant (intr.)	keuchen 1
paper (tr.)	mit Papier auslegen, tapezieren 1
paralyse, -yze (tr.)	lähmen, paralysieren 6
pardon (tr.)	vergeben, verzeihen 1
Pardon me!	*Entschuldigen Sie bitte!*
I beg your pardon?	*Wie bitte?*
park (tr. & intr.)	parken 1
part (tr. & intr.)	(sich) trennen 1
partition (tr.) (off)	auf/ab/unter/teilen 1
pass (tr. & intr.)	vorbeigehen, passieren 7
She passed her exams.	*Sie hat ihr Examen bestanden.*
They passed a new law.	*Sie haben ein neues Gesetz verabschiedet.*
Mrs. X has passed away.	*Frau X ist verschieden.*
It'll pass.	*Es wird schon vergehen.*
He passed out.	*Er fiel in Ohnmacht*
It passed through my mind.	*Es kam mir in den Sinn.*
pat (tr.)	tätscheln, klopfen 8
patch (tr.)	flicken 7
patent (tr.)	patentieren 1
patter (tr. & intr.)	prasseln (Regen); trippeln 1
pause (intr.)	innehalten, pausieren 6
pave (tr.)	(Straße) betonieren, pflastern; Weg ebnen 6
pay (tr. & intr.) {Prt. paid, PP paid}	(be)zahlen; büßen UR 41

Pay attention!	*Paß auf!*
You'll be paid back for that!	*Das werden wir dir heimzahlen!*
Do I have to pay duty?	*Muß ich das verzollen?*
It's paid off.	*Es hat sich gelohnt.*
I paid off my debts.	*Ich habe meine Schulden getilgt/abbezahlt.*
peck (tr. & intr.)	picken, hacken 1
pedal (tr. & intr.)	treten, radfahren 8
peal (intr.)	läuten 1
peel (tr. & intr.)	(sich) schälen, pellen 1
peep (intr.)	neugierig gucken 1
peg (tr.)	anpflocken, abstecken 8
penetrate (tr. & intr.)	(durch/ein)dringen 6
pension (tr.) (off)	(jmdn.) pensionieren 1
pepper (tr.)	pfeffern 1
perceive (tr.)	wahrnehmen 6
perfect (tr.)	vervollkommnen 1
perform (tr. & intr.)	leisten, funktionieren; aufführen 1
perish (intr.)	umkommen; brüchig werden 7
permit (tr. & intr.)	erlauben, gestatten 8
perpetrate (tr.)	(Verbrechen) begehen 6
persist (intr.)	ausharren; bestehen auf 1
persuade (tr.)	überreden, überzeugen 6
pervade (tr.)	durchdringen 6
pervert (tr.)	verdrehen; pervertieren 1
pester (tr.)	belästigen 1
pet (tr.)	abknutschen, abtatschen; streicheln 8
phase (tr.) (in/out)	in Phasen/stufenweise (ein)führen; stufenweise aufhören, einstellen 6
phone (tr. & intr.)	telefonieren, anrufen 6
photocopy (tr. & intr.)	fotokopieren; sich fotokopieren lassen 10
photograph (tr. & intr.)	fotografieren; sich fotografieren lassen 1
pick (tr. & intr.)	pflücken, picken; (aus)wählen 1
Pick up that paper.	*Heb das Papier (vom Boden) auf.*
She was picking at her food.	*Sie stocherte in ihrem Essen herum.*
He picked out a colour.	*Er suchte sich eine Farbe aus.*

Do you want to be picked up?	*Möchtest du abgeholt werden?*
picnic (intr.)	picknicken 8
pierce (tr. & intr.)	durchstechen, eindringen 6
pile (tr. & intr.) (up)	(sich) stapeln, anhäufen 6
pilot (tr.)	steuern, lotsen 1
pin (tr.)	stecken, heften 8
She was pinned down.	*Sie wurde auf den Boden niedergedrückt.*
pinch (tr. & intr.)	kneifen, zwicken; (fam.) klauen 7
pine (intr.) (for)	schmachten, sich sehnen (nach) 6
piss (intr.)	(vulg.) pissen, pinkeln 7
Piss off!	*Hau ab! Verpiss dich!*
She was pissed off.	*Sie war sauer.*
pitch (tr. & intr.)	(Zelt) aufschlagen; (Ton) angeben; stürzen 7
He pitched his hopes too high.	*Er hat zuviel erwartet.*
pity (tr.)	bemitleiden 10
place (tr.)	stellen, legen, setzen 6
plan (tr. & intr.)	planen 8
plant (tr.)	(be)pflanzen 1
plaster (tr.)	gipsen, verputzen 1
She was plastered.	*Sie war blau/betrunken.*
play (tr. & intr.)	spielen 1
The children played truant.	*Die Kinder haben (die Schule) geschwänzt.*
plead (tr. & intr.) (for)	plädieren, flehen (um) 1
The defendant pleads guilty.	*Der Angeklagte bekennt sich schuldig.*
He pleads ignorance.	*Er gibt Unwissenheit vor (als Entschuldigung).*
please (tr. & intr.)	gefallen, (er)freuen 6
As you please.	*Wie Sie wünschen.*
Please yourself.	*Bedienen Sie sich/Wie Sie wünschen.*
pleat (tr.)	falten 1
plot (tr. & intr.)	sich verschwören; (Plan) aufzeichnen, abstecken 8
plough (tr. & intr.)	pflügen, ackern; einen Weg bahnen 1
plug (tr.)	stöpseln, verkorken 8
plumb (tr.)	(aus)loten; ergründen klempnern 1
plunge (tr. & intr.)	(ein)tauchen, untertauchen 6

poach (tr. & intr.) wildern; (Eier) pochieren 7
He poached my staff. *Er hat meine Mitarbeiter abgeworben.*

point (tr. & intr.) (at/to) zeigen, weisen 1
I would like to point out xxx *Ich möchte darauf*

 aufmerksam machen, daß xxx
This wall needs pointing (up). *Diese Wand muß verfugt werden.*

poison (tr.) vergiften 1
poke (tr. & intr.) stoßen, knuffen 6
She was poking fun at him. *Sie machte sich über ihn lustig.*
police (tr.) (polizeilich) überwachen 6
polish (tr.) polieren 7
pollute (tr.) verschmutzen, verunreinigen 6
ponder (tr. & intr.) nachsinnen, erwägen 1
pool (tr.) (Geld) zusammenlegen 1
pop (tr. & intr.) knallen, puffen, platzen 8
Something's popped up. *Mir ist plötzlich etwas dazwischengekommen.*

portray (tr.) porträtieren; schildern, darstellen 1
possess (tr.) besitzen 7
post (tr.) (Post) einwerfen; (Plakate) ankleben 1

postpone (tr.) (until) verschieben (auf) 6
potter (intr.) (about) herumtrödeln 1
pound (tr. & intr.) stampfen, hämmern 1
pour (tr. & intr.) (sich) (er)gießen, schütten 1
powder (tr. & intr.) pulverisieren; zu Pulver werden; pudern 1

practise, *Amer.:* practice (tr. & intr.) (aus)üben, praktizieren 6
praise (tr.) rühmen, loben, preisen 6
pray (tr. & intr.) (for) beten, bitten 1
preach (tr. & intr.) predigen 7
precipitate (tr. & intr.) beschleunigen; schleudern; (Chem.) ausfallen 6

preclude (tr.) ausschließen 6
predict (tr.) vorhersagen 1
predominate (intr.) vorherrschen 6
preempt (tr.) zuvorkommen 1
prefer (tr.) (to) vorziehen 8
preoccupy (tr.) vorher einnehmen, völlig in Anspruch nehmen 10

prepare (tr. & intr.) (for)	(sich) vorbereiten; (Speise) zubereiten 6
prescribe (tr. & intr.)	vorschreiben; (Medizin) verordnen 6
present (tr. & refl.)	vorlegen, darbieten, (sich) vorstellen 1
preserve (tr.)	bewahren; einmachen 6
press (tr. & intr.)	drücken, drängen; bügeln 7
presuppose (tr.)	voraussetzen 6
pretend (tr. & intr.)	vortäuschen, sich verstellen 1
prevaricate (intr.)	zögern, Ausflüchte machen 6
prevent (tr.)	verhüten, verhindern 1
price (tr.)	Preis festsetzen 6
prick (tr. & intr.)	stechen, pieken 1
prime (tr.)	vorbereiten; (Farbe) grundieren 6
print (tr.)	drucken; in Druckbuchstaben schreiben 1
privatise, -ize (tr.)	privatisieren, entstaatlichen 6
prize (tr.)	wertschätzen 6
He prized the box open.	*Er brach die Kiste auf.*
proceed (intr.)	fortfahren, vorangehen 1
process (tr.)	verarbeiten; Lebensmittel haltbar machen 7
procrastinate (intr.)	zögern 6
procreate (tr. & intr.)	(er)zeugen 6
procure (tr.)	beschaffen, verkuppeln 6
prod (tr.)	(an)stoßen 8
produce (tr. & intr.)	produzieren, herstellen, erzeugen; inszenieren 6
profit (tr. & intr.)	profitieren, Nutzen ziehen aus, nützen 1
program (tr.)	programmieren 8
progress (tr. & intr.)	Fortschritte machen, etw. vorantreiben 7
project (tr. & intr.)	hervorragen; projizieren; voraussagen 1
prolong (tr.)	verlängern 1
promise (tr. & intr.)	versprechen 6
promote (tr.)	(be)fördern; werben für 6
prompt (tr.)	anregen, Stichwort geben 1
pronounce (tr. & intr.)	aussprechen; ernennen 6
prop (tr.)	unterstützen; (mit Requisiten) ausstatten 8

propose (tr. & intr.)	vorschlagen, beabsichtigen; einen Heiratsantrag stellen 6
prosecute (tr. & intr.)	verfolgen; anklagen 6
prostitute (tr. & refl.)	(sich) prostituieren 6
protect (tr.) (from)	(be)schützen (vor) 1
protest (tr. & intr.)	protestieren 1
prove (tr. & intr.)	beweisen, nachweisen; sich herausstellen als 6
She proved her worth.	*Sie hat sich bewährt.*
provide (tr. & intr.)	vorsorgen, versorgen 6
provoke (tr.)	herausfordern, provozieren, verärgern 6
prune (tr.)	beschneiden, stutzen 6
pry (tr. & intr.) (open)	schnüffeln; aufstemmen 10
publicise, -ize (tr.)	veröffentlichen, bekanntmachen 6
publish (tr.)	veröffentlichen, herausbringen 7
pull (tr. & intr.)	ziehen 1
Pull yourself together!	*Reiß dich zusammen!*
Pull the other one.	*Mach mir doch nichts vor.*
The building has been pulled down.	*Das Gebäude wurde abgerissen.*
They pulled out.	*Sie haben einen Rückzieher gemacht.*
Please pull up.	*Bitte halten Sie an.*
pulverise, -ize (tr. & intr.)	pulverisieren; zu Staub verfallen 6
pump (tr. & intr.)	pumpen 1
punch (tr.)	schlagen; lochen 7
punctuate (tr.)	interpunktieren; unterstreichen 6
punish (tr.)	(be)strafen 7
purchase (tr.)	kaufen 6
purify (tr. & intr.)	(sich) klären, läutern 10
purloin (tr.) (from)	stehlen, entwenden 1
purr (tr. & intr.)	schnurren 1
pursue (tr.)	nachjagen, verfolgen 6
push (tr. & intr.)	schieben, stoßen, drängen 7
He pushes drugs.	*Er verkauft/schiebt Drogen.*
put (tr.) {Prt. put, PP put}	legen, setzen, stellen UR 42
He was put away for ten years.	*Er wurde für zehn Jahre eingesperrt.*
I've put away some money for a rainy day.	*Ich habe etwas Geld (für schlechte Zeiten) gespart/.*
She could put away large quantities.	*Sie konnte große Portionen verdrücken/viel essen.*

The army put down the rebellion.	Die Armee warf den Aufstand nieder.
He put me down.	Er brachte mich zum Schweigen.
She put a good word in for you.	Sie hat ein gutes Wort für dich eingelegt.
You put me off.	Du hast mich davon abgebracht.
We want to put it into practice.	Wir wollen es in die Praxis umsetzen.
He put on a mask.	Er setzte eine Maske auf.
I need to put on my make-up.	Ich muß mich schminken.
The fire was quickly put out.	Das Feuer wurde schnell gelöscht.
I can put them up.	Ich kann sie unterbringen.
I can't put up with this.	Ich kann das nicht zulassen/mich nicht damit abfinden.
puzzle (tr. & intr.)	verwirren; sich den Kopf zerbrechen 6

Q

quake (intr.)	zittern 6
qualify (tr. & intr.)	(sich) qualifizieren, eignen 10
quantify (tr.)	quantifizieren; messen, Menge bestimmen 10
quarantine (tr.)	unter Quarantäne stellen 6
quarrel (intr.)	(sich) streiten 8
quarter (tr.)	vierteln; einquartieren 1
quash (tr.)	annulieren; unterdrücken, abweisen 7
quell (tr.)	nieder/unter/drücken 1
quench (tr.)	(Durst) löschen; (Hoffnung) zunichte machen 7
query (tr.)	in Frage stellen, bezeifeln 10
question (tr.)	ausfragen, befragen 1
queue (intr.)	Schlange stehen 6
quicken (tr. & intr.)	schneller werden/machen 1
quit (tr. & intr.) {Prt. quit/quitted, PP quit/quitted}	aufhören, verzichten, kündigen 8/UR
quiver (intr.)	zittern 1
quote (tr.)	zitieren; (Preis) ansetzen 6

R

race (tr. & intr.)	rasen; um die Wette laufen/fahren 6
radiate (tr. & intr.)	ausstrahlen 6
radio (tr.)	durchgeben, funken, senden 1
rage (intr.)	wüten, toben 6
rail (intr.) (against)	schimpfen (auf) 1
rain (unpers.; tr. & intr.)	regnen, strömen 1
raise (tr.)	heben; erhöhen, steigern; großziehen 6
Three raised to the power of three.	*Drei hoch drei.*
He raised the money.	*Er hat das Geld beschafft.*
rake (tr. & intr.) (up)	rechen, harken; durchstöbern 6
ramble (intr.)	wandern, sich ranken 6
She rambled on for hours.	*Sie redete stundenlang (am Thema vorbei).*
rampage (intr.)	(herum)toben, wüten 6
range (tr. & intr.) (from x to y)	anordnen, sich erstrecken; schwanken (zwischen) 6
rank (tr. & intr.)	klassifizieren, zählen; Rang einnehmen 1
rap (tr. & intr.)	klopfen, pochen; rappen (Sprechgesang) 8
rape (tr.)	vergewaltigen 6
rate (tr. & intr.)	abschätzen, angesehen werden; besteuern 6
ration (tr.)	rationieren 1
rattle (tr. & intr.)	rasseln, klappern 6
rave (intr.) (about)	schwärmen (für); rave tanzen 6
reach (tr. & intr.) (out)	(er)reichen, greifen (nach) 7
react (intr.)	reagieren 1
read (tr. & intr.) {Prt. read, PP read}	lesen, studieren; (an)zeigen UR 43
I read you.	*Ich verstehe/höre dich (Funk).*
It reads like this:	*Es lautet so:*
It reads like a thriller.	*Es liest sich wie ein Krimi.*
realise, -ize (tr.)	begreifen, erkennen; realisieren 6
reap (tr. & intr.)	ernten, mähen 1
rear (tr. & intr.)	aufziehen, großziehen 1
The horse reared up.	*Das Pferd bäumte sich auf.*
rearrange (tr.)	umstellen, neu organisieren 6
reason (tr. & intr.)	erörtern, durchdenken; überzeugen 1
recall (tr.)	zurückrufen; sich erinnern 1

recapitulate (tr. & intr.)	zusammenfassen, rekapitulieren 6
receive (tr. & intr.)	empfangen, bekommen; Besuch aufnehmen 6
reckon (tr. & intr.) (on/with)	rechnen (mit) 1
recognise, -ize (tr.)	(an)erkennen 6
recommend (tr.)	empfehlen 1
reconcile (tr. & refl.) (to)	(sich) versöhnen, sich abfinden (mit) 6
reconstruct (tr.)	wiederaufbauen 1
record (tr.)	(Musik) aufnehmen; protokollieren 1
recover (tr. & intr.)	neu beziehen; genesen; wiederauffinden 1
recruit (tr. & intr.)	(an)werben, rekrutieren 1
rectify (tr.)	berichtigen 10
recycle (tr.)	wiederverwerten, wiederaufarbeiten 6
redo (tr.) {Prt. redid, PP redone}	nochmals machen UR
reduce (tr. & intr.)	verringern, abnehmen 6
refer (tr. & intr.) (to)	verweisen, überweisen; sich beziehen (auf) 8
referee (tr. & intr.)	Schiedsrichter sein, schiedsrichtern 9
refine (tr. & intr.)	(sich) verfeinern, raffinieren 6
reflect (tr. & intr.)	sich besinnen; reflektieren; widerspiegeln 1
It reflects badly on you.	*Das rückt dich in ein schlechtes Licht.*
reform (tr. & intr.)	reformieren, (sich) bessern 1
refrain (intr.) (from)	absehen (von), unterlassen 1
refresh (tr. & refl.)	(sich) erfrischen 7
refrigerate (tr.)	kühlen 6
refund (tr.)	(Geld) zurückerstatten 1
refuse (tr. & intr.)	(sich) weigern, ablehnen 6
I refuse to tolerate this.	*Ich verbitte mir das.*
refute (tr.)	widerlegen 6
regard (tr.)	betrachten 1
register (tr. & intr.)	(sich) eintragen, registrieren 1
regret (tr.)	bereuen, bedauern 1
regulate (tr.)	regulieren, regeln 6
rehearse (tr. & intr.)	proben, einstudieren 6
reign (intr.)	herrschen, regieren 1
reimburse (tr.)	entschädigen 6

reinforce (tr.)	verstärken 6
reject (tr.)	zurückweisen 1
rejoice (intr.)	sich freuen, jubeln 6
rejoin (tr.)	wieder eintreten; wieder verbinden 1
relate (tr. & intr.) (to)	berichten; sich beziehen (auf) 6
relax (tr. & intr.)	(sich) entspannen, nachlassen 7
re-lay (tr.) {Prt. re-laid, PP re-lain}	(Kabel) neu (ver)legen UR
relay (tr.)	(Neuigkeiten) weitergeben 1
release (tr.)	entlassen, befreien 6
relieve (tr.)	erleichtern, entlasten, beruhigen 6
remain (intr.)	(ver)bleiben 1
remark (tr. & intr.)	bemerken, sich äußern 1
remember (tr. & intr.)	sich erinnern, gedenken 1
remind (tr.) (of)	erinnern (an) 1
remove (tr.)	beseitigen, entfernen 6
remunerate (tr.)	entschädigen, bezahlen 6
renew (tr.)	erneuern 1
renounce (tr.)	aufgeben, verzichten (auf), entsagen 6
renovate (tr.)	renovieren 6
rent (tr. & intr.)	(ver)mieten 1
reorganise, -ize (tr.)	umorganisieren, neu ordnen 6
repair (tr.)	reparieren, wiedergutmachen 1
repeat (tr. & intr.)	(sich) wiederholen 1
replace (tr.)	wieder hinstellen; ersetzen, vertreten 6
reply (intr.) (to)	antworten, erwidern (auf) 10
report (tr. & intr.) (on)	melden, berichten (über) 1
represent (tr.)	darstellen, repräsentieren 1
reproach (tr.)	tadeln, vorwerfen 7
reproduce (tr. & intr.)	reproduzieren, kopieren; sich vermehren/fortpflanzen 6
repulse (tr.)	zurückschlagen 6
request (tr.)	bitten, ersuchen 1
require (tr.)	benötigen, verlangen 6
rescue (tr.)	retten, bergen 6
research (tr. & intr.) (into)	(er)forschen, wissenschaftlich untersuchen 7
resemble (tr.)	(sich) ähneln, gleichen 6
reserve (tr.)	(sich) aufbewahren, reservieren 6
resign (tr., refl. & intr.)	zurücktreten; resignieren, sich fügen 1

resist (tr. & intr.)	Widerstand leisten, (sich) wehren (gegen) 1
resolve (tr.)	(auf)lösen; beschließen 6
resonate (intr.)	widerhallen 6
resound (intr.)	tönen, widerhallen 1
respect (tr.)	(be)achten, verehren 1
rest (tr. & intr.) (on)	ruhen; sich stützen/basieren auf 1
restore (tr.)	wiederherstellen, restaurieren 6
result (intr.) (from/in)	sich ergeben, resultieren 1
retail (tr. & intr.)	im kleinen verkaufen/verkauft werden; weitererzählen 1
retain (tr.)	zurückhalten, im Gedächtnis behalten 1
retire (intr.)	sich zur Ruhe setzen, in Pension gehen 6
retrieve (tr.)	wieder(auf)finden 6
return (tr. & intr.)	zurückkehren, zurückgeben, erwidern 1
reunite (tr. & intr.)	(sich) wiedervereinigen 6
reveal (tr.)	enthüllen, offenbaren 1
revel (intr.) (in)	feiern; Freude daran haben 8
reverse (tr. & intr.)	umkehren, rückgängig machen; (Auto) zurücksetzen 6
revise (tr. & intr.)	(für eine Prüfung) wiederholen; verbessern, revidieren 6
revive (tr. & intr.)	wiederbeleben, wiederaufleben 6
revolt (tr. & intr.) (against)	rebellieren, (sich) empören 1
reward (tr.)	belohnen 1
rid (tr.) {Prt. rid, PP rid}	befreien UR
Can you get rid of him?	*Kannst du ihn bitte loswerden/abwimmeln?*
riddle (tr.) (with)	durchlöchern 6
ride (tr. & intr.) {Prt. rode, PP ridden}	reiten; fahren UR
She rode roughshod over it.	*Sie ging rücksichtslos darüber hinweg.*
ridicule (tr.)	lächerlich machen 6
ring (tr. & intr.) {Prt. rang, PP rung}	klingeln, läuten; umringen UR
It rings true.	*Es hört sich wahr an.*
Could you ring me?	*Kannst du mich anrufen?*
She rang off.	*Sie legte auf.*

He ringed the cattle in.	*Er pferchte das Vieh ein.*
rinse (tr.)	(aus)spülen 6
riot (intr.)	an einem Krawall/Aufstand teilnehmen; randalieren, toben 1
ripen (tr. & intr.)	reifen (lassen) 1
rise (intr.) {Prt. rose, PP risen} (from)	sich erheben; entspringen UR
The sun rises at 5 a.m.	*Die Sonne geht um fünf Uhr auf.*
Prices have risen sharply.	*Die Preise sind scharf angestiegen.*
They rose against the government.	*Sie machten einen Aufstand gegen die Regierung.*
The land rises gently.	*Das Land steigt sanft an.*
She rose fast.	*Sie wurde schnell befördert.*
risk (tr.)	riskieren, aufs Spiel setzen 1
roar (tr. & intr.)	brüllen, rauschen 1
roast (tr. & intr.)	braten, schmoren, rösten 1
rob (tr.)	berauben, bestehlen 8
rock (tr. & intr.)	(sich) schaukeln; rocken 1
roll (tr. & intr.)	rollen, wälzen 1
She's rolling in money.	*Sie schwimmt in Geld.*
Start the ball rolling.	*Mach den Anfang.*
roof (tr.)	bedachen 1
rope (tr.)	zusammenbinden; absperren; anseilen 6
rot (tr. & intr.)	faulen (lassen) 8
round (tr. & intr.)	(sich) runden; gehen/fahren um 1
Please round up/down.	*Bitte runden Sie auf/ab.*
row (tr. & intr.)	rudern; streiten 1
rub (tr. & intr.)	(ein)reiben 8
I rubbed him up the wrong way.	*Ich habe ihn verärgert/beleidigt.*
She rubbed out my debts.	*Sie hat meine Schulden gelöscht.*
He rubbed out his mistake.	*Er radierte seinen Fehler aus.*
ruffle (tr.)	kräuseln; aus der Fassung bringen 6
ruin (tr.)	ruinieren, zerstören 1
rule (tr. & intr.)	(be)herrschen, regieren; entscheiden 6
rumble (intr.)	donnern, knurren 6

rummage (intr.)   herumkramen, stöbern 6

run (tr. & intr.) {Prt. ran, PP run}   laufen, rennen UR 44

She runs a shop.   Sie leitet ein Geschäft.

Does xxx software run on your computer?   Läuft xxx Software auf Ihrem Computer?

Which program are you running?   Welches Programm benutzen Sie?

The river runs from west to east.   Der Fluß fließt in West-Ost-Richtung.

The colour in this shirt runs.   Dieses Hemd färbt ab.

Will you run for President?   Werden Sie als Präsident kandidieren?

It runs in the family.   Es ist vererbt.

We're running low on butter.   Die Butter wird knapp.

She ran the business down.   Sie hat den Betrieb heruntergewirtschaftet.

I ran into John.   Ich habe John getroffen.

New cars don't need running in.   Neue Autos brauchen nicht eingefahren zu werden.

I've run out of time.   Meine Zeit ist abgelaufen.

rush (tr. & intr.)   stürmen, stürzen; (an)treiben, drängen 7

rust (tr. & intr.)   rosten (lassen) 1

rustle (tr. & intr.)   rascheln, knistern (mit); (Vieh) stehlen 6

S   sack (tr.)   plündern; (fam.) rausschmeißen, entlassen 1

sacrifice (tr. & intr.)   opfern 6

sadden (tr.)   betrüben, traurig machen 1

saddle (tr.)   satteln 6

sail (tr. & intr.)   segeln; befahren 1

salt (tr.)   salzen 1

salvage (tr.)   bergen, retten 6

sample (tr.)   probieren 6

sandpaper (tr.)   (ab)schmirgeln 1

satisfy (tr.)   befriedigen 10

I'm satisfied that xxx   Ich bin davon überzeugt, daß xxx

I'd like to satisfy myself.   Ich möchte mich gern davon überzeugen.

saunter (intr.)   schlendern 1

save (tr. & intr.)	(er)retten; sparen, sichern 6
You should regularly save (to disc).	*Sie sollten regelmäßig (auf Diskette) abspeichern.*
Save your breath!	*Spar dir deine Kommentare!*
savour (tr. & intr.) (of)	genießen; schmecken (nach) 1
say (tr. & intr.) {Prt. said, PP said}	sagen UR 45
to say nothing of	*ganz zu schweigen von*
She said goodbye.	*Sie hat sich verabschiedet.*
Say thank you.	*Bedank dich.*
He is said to be good.	*Er soll gut sein.*
What do you say?	*Was meinst du (dazu)?*
It says here xxx	*Hier steht xxx*
scare (tr. & intr.)	erschrecken 6
scatter (tr. & intr.)	(ver)streuen, (sich) zerstreuen 1
scent (tr.)	riechen, wittern; parfümieren 1
scheme (intr.)	planen, intrigieren 6
scold (tr.)	schelten 1
scoop (tr.)	schaufeln; (Zeitung) eine Extrameldung/ Erstmeldung bringen 1
scorch (tr. & intr.)	versengen, ausdörren 7
score (tr. & intr.)	einkerben; (Sport) Punkte erzielen; (fam.) Erfolg haben 6
scorn (tr.)	verachten 1
scrap (tr. & intr.)	verschrotten; sich balgen 8
scrape (tr. & intr.)	kratzen, schaben 6
scratch (tr.)	(zer)kratzen; (Sport) zurücktreten 7
scream (tr. & intr.)	schreien 1
screen (tr.)	(be)schirmen; (Film) vorführen, zeigen 1
screw (tr. & intr.)	schrauben, sich einschrauben lassen; (vulg.) vögeln 1
scribble (tr. & intr.)	(be)kritzeln 6
scroll (tr.) (up/down)	(Computer) vor/zurück/scrollen 1
scrub (tr. & intr.)	schrubben 8
seal (tr.)	be/ver/siegeln 1
search (tr. & intr.) (for)	(durch)suchen (nach) 7
season (tr. & intr.)	(Speisen) würzen; (aus)reifen lassen; (Holz) ablagern 1
seat (tr.)	setzen; Sitzplätze haben für 1
secure (tr.)	sichern, garantieren 6

S

seduce (tr.)	verführen 6
see (tr. & intr.) {Prt. saw, PP seen}	sehen UR 46
I see.	Ich verstehe.
I want to see the director.	Ich möchte den Direktor sprechen.
We'll see about that.	Wir werden uns darum kümmern.
She saw him off/out.	Sie hat ihn verabschiedet.
We need to see this through.	Wir müssen die Sache durchziehen.
Are you being seen to?	Werden Sie schon bedient?/Kümmert sich jemand um Sie?
seek (tr. & intr.) {Prt. sought, PP sought}	suchen, erbitten UR
seem (intr.)	(er)scheinen 1
seep (intr.) (through)	(durch)sickern 1
seize (tr. & intr.) (on)	(er)greifen, erfassen; sich verklemmen 6
select (tr.)	auswählen 1
sell (tr. & intr.) {Prt. sold, PP sold}	(sich) verkaufen UR
I'm sold on the idea.	Ich bin von der Idee überzeugt.
send (tr. & intr.) {Prt. sent PP sent}	senden, schicken (nach) UR 47
I sent for the brochure.	Ich bestellte die Broschüre.
He was sent up.	Man hat ihn auf den Arm genommen.
sense (tr.)	fühlen, spüren 6
sentence (tr.)	verurteilen 6
separate (tr. & intr.)	(sich) trennen, scheiden 6
serve (tr. & intr.)	(be)dienen, servieren 6
He's serving his sentence.	Er sitzt seine Strafe ab.
It serves you right!	Das geschieht dir recht!
She serves first (tennis).	Sie hat als erste den Aufschlag.
It serves to prove xxx.	Damit ist xxx bewiesen.
service (tr.)	pflegen, warten 6
set (tr. & intr.) {Prt. set, PP set}	setzen, stellen, legen UR 48
The sun sets at 6 p.m.	Die Sonne geht um 18 Uhr unter.
The plaster has set.	Der Gips ist fest geworden.
He set fire to his house.	Er hat sein Haus in Brand gesteckt.

The rains are setting in.	*Die Regenzeit fängt an.*
We set off at 6 o'clock	*Wir fuhren um 6 Uhr los.*
A dark background sets this off nicely.	*Das macht sich gut vor einem dunklen Hintergrund.*
Can you set off expenses against profit?	*Kannst du deine Spesen gegen den Gewinn abrechnen?*
She set up for herself.	*Sie machte sich selbständig.*
settle (tr. & intr.)	(sich) niederlassen, ansiedeln; beruhigen 6
sew (tr. & intr.) {Prt. sewed, PP sewed/sewn}	nähen 1/UR
shade (tr.)	beschatten, schattieren 6
shag (tr. & intr.)	(vulg.) bumsen 8
shake (tr. & intr.) {Prt. shook, PP shaken}	schwanken, schütteln UR
shall (mod. HV) {Prt. should}	*so*llen UR; *zur Bildung von Futur, Fragen, Vorschlägen*
shame (tr.)	beschämen 6
shape (tr. & intr.)	(sich) formen, bilden; Gestalt annehmen 6
share (tr.) (out)	(ver)teilen 6
sharpen (tr.)	schärfen, schleifen 1
shatter (tr. & intr.)	zerschmettern, zerspringen 1
shave (tr. & intr.)	(sich) rasieren 6
shear (tr. & intr.) {Prt. shore, PP shorn}	scheren; abbrechen UR
shed (tr.) {Prt. shed, PP shed}	verlieren, loswerden; (Licht) verbreiten UR
shell (tr.)	enthülsen; mit Granaten beschießen 1
shelter (tr. & intr.) (from)	(sich) schützen (vor) 1
shield (tr.)	schirmen, schützen 1
shift (tr. & intr.)	(sich) verschieben, wechseln 1
shine (tr. & intr.) {Prt. shone, PP shone}	scheinen, glänzen; polieren UR
ship (tr.)	ver/ein/schiffen, verfrachten 8
shit (intr.) {Prt. shat, PP shat}	(vulg.) scheißen UR
shiver (intr.)	zittern, frösteln 1
shock (tr.)	erschüttern, schockieren 1
shoot (tr. & intr.) (at) {Prt. shot, PP shot}	schießen (auf) UR
Don't shoot your mouth off.	*Red keinen Unsinn.*

They are shooting a film.	*Sie drehen einen Film.*
He was shot dead.	*Er wurde erschossen.*
She shot a glance at him.	*Sie warf ihm einen Blick zu.*
We're shooting the rapids.	*Wir schießen über die Stromschnellen hinweg.*
shop (tr. & intr.)	einkaufen; (fam.) jmdn. verpfeifen 8
shore (tr.) (up)	abstützen 6
short-circuit (tr.)	einen Kurzschluß verursachen; kurzschließen 1
shorten (tr. & intr.)	(sich) verkürzen 1
should (mod. HV) {Prt. *von* shall}	sollten UR
shout (tr. & intr.)	rufen, schreien 1
shove (tr. & intr.)	schieben, drängen 6
shovel (tr.)	schaufeln 8
show (tr. & intr.) {Prt. showed, PP shown/showed}	(vor)zeigen; sehenlassen 1/UR 49
It shows.	*Man sieht's.*
This shows that you're right.	*Das beweist, daß du Recht hast.*
This film shows at both cinemas.	*Dieser Film läuft in beiden Kinos.*
Could you show her in?	*Könntest du sie hereinbringen?*
He's just showing off.	*Er gibt nur an.*
She didn't show up.	*Sie ist nicht gekommen.*
He wanted to show her up.	*Er wollte sie ausstechen.*
shower (tr. & intr.)	duschen; überschütten; niederprasseln 1
shrink (tr. & intr.) {Prt. shrank, PP shrunk}	eingehen, (ein)schrumpfen (lassen) UR
shrivel (tr. & intr.) (up)	zusammenschrumpfen (lassen) 8
shrug (intr.)	die Achseln zucken 8
shut (tr. & intr.) {Prt. shut, PP shut}	(sich) schließen, zumachen UR
Shut up!	*Halt den Mund!*
side (intr.) (with)	sprechen (für), Partei ergreifen 6
sieve (tr.)	sieben 6
sigh (tr. & intr.)	seufzen 1
sight (tr.)	sichten 1
sign (tr. & intr.) (to)	unterschreiben, sich verpflichten; einen Zeichen geben 1
signal (tr.)	signalisieren, zu verstehen geben 8
silence (tr.)	zum Schweigen bringen 6

silver (tr.)   versilbern 1
simmer (tr. & intr.)   sieden, zum Sieden bringen 1
simplify (tr.)   vereinfachen 10
sin (intr.)   sündigen 8
sing (tr. & intr.) {Prt. sang, PP sung} singen UR
sink (tr. & intr.) {Prt. sank, PP sunk} sinken, versenken UR
sip (tr. & intr.) (at)   nippen (an) 8
sit (tr. & intr.) {Prt. sat, PP sat} sitzen UR 50

He is sitting (for) an exam.   *Er legt eine Prüfung ab.*
Parliament is still sitting.   *Das Parlament tagt noch.*
Sit down.   *Setz dich.*
She sits on the committee.   *Sie ist Mitglied des Komitees.*
You'll have to sit out the next round.   *Du mußt bei der nächsten Runde aussetzen.*

skate (intr.)   schlittschuhlaufen 6
sketch (tr.) (in/out)   skizzieren, entwerfen 7
ski (intr.)   skilaufen 1
skid (intr.)   ausrutschen, schleudern 8
skin (tr.)   enthäuten 8
skip (tr. & intr.)   (seil)hüpfen; schwänzen, überspringen 8
skirt (tr.)   umsäumen, umfahren 1
slacken (tr. & intr.)   (sich) lockern, entspannen; nachlassen 1
slam (tr. & intr.)   zuschlagen, zuknallen 8
slander (tr.)   verleumden 1
slap (tr. & intr.)   schlagen, klatschen 8
slaughter (tr.)   (Vieh) schlachten; abschlachten, niedermetzeln 1
slave (intr.)   schuften 6
sleep (intr.) {Prt. slept, PP slept} schlafen UR
This boat sleeps six people.   *Auf dem Boot gibt es Schlafraum für sechs Leute.*
slice (tr. & intr.)   (in) Scheiben schneiden 6
slide (tr. & intr.) {Prt. slid, PP slid} gleiten (lassen), rutschen, schlüpfen UR
slim (intr.)   abnehmen 8
slip (tr. & intr.)   schlüpfen, rutschen 8
She slipped him a note.   *Sie steckte ihm einen Zettel zu.*
slog (intr.) (away)   hart schlagen; (fam.) schuften 8
slope (tr. & intr.)   (sich) neigen, senken 7
slow (tr. & intr.) (down)   verlangsamen, verzögern 1
smack (tr. & intr.)   klatschen; schmatzen 1

He smacked his lips.	*Er leckte sich die Lippen.*
She smacked the child.	*Sie schlug das Kind.*
This smacks of corruption.	*Das riecht nach Bestechung.*
smash (tr. & intr.)	zerschlagen, zerbrechen 7
smear (tr. & intr.)	schmieren; anschmieren; sich verwischen 1
smell (tr. & intr.) (of) {Prt. smelled/ smelt, PP smelled/smelt}	riechen (nach) 1/UR
I smell a rat.	*Da stimmt was nicht.*
smile (tr. & intr.)	lächeln 6
smoke (tr. & intr.)	rauchen; qualmen; räuchern 6
smooth (tr.)	glätten 7
smuggle (tr.)	schmuggeln 6
snap (tr. & intr.)	(zu)schnappen; entzweibrechen 8
Snap it up!	*Greifen Sie zu!*
He snapped the children at play.	*Er knipste die Kinder beim Spielen.*
snatch (tr. & intr.) (at)	greifen (nach); entreißen 7
sneeze (intr.)	niesen 6
The offer is not to be sneezed at.	*Das Angebot ist nicht schlecht/nicht zu verachten.*
sniff (tr. & intr.)	schniefen; schnuppern, schnüffeln 1
snore (intr.)	schnarchen 6
snow (unpers. tr. & intr.)	schneien 1
I'm snowed under.	*Ich bin mit Arbeit überhäuft.*
soak (tr. & intr.)	durchnässen, (sich) einweichen 1
soap (tr.)	einseifen 1
soar (intr.)	aufsteigen 1
Prices soared.	*Die Preise schnellten in die Höhe.*
sob (tr. & intr.)	schluchzen 8
sober (tr. & intr.) (up)	nüchtern werden/machen 1
soften (tr. & intr.)	(sich) erweichen; weich machen 1
soil (tr. & intr.)	schmutzig werden; beschmutzen 1
solder (tr.)	löten 1
solidify (tr. & intr.)	(sich) verdichten; fest werden, erstarren 10
solve (tr.)	lösen 6
somersault (intr.)	einen Purzelbaum schlagen 1
soothe (tr.)	mildern, besänftigen 6

sort (tr.)	sortieren, trennen 1
sound (tr. & intr.)	(er)klingen (lassen), schallen 1
It sounded like a trumpet.	*Es hat sich wie eine Trompete angehört.*
sour (tr. & intr.)	sauer werden/machen 1
sow (tr.) {Prt. sowed, PP sowed/sown}	säen 1/UR
spare (tr.)	(ver)schonen; entbehren 6
Can you spare some change?	*Können Sie mir etwas (Klein)Geld geben?*
sparkle (intr.)	funkeln 6
spatter (tr. & intr.)	(be)spritzen 1
speak (tr. & intr.) {Prt. spoke, PP spoken}	reden, sprechen UR 51
Speak up.	*Sprich lauter.*
Nothing to speak of.	*Nicht der Rede wert.*
Not to speak of xxx.	*Ganz zu schweigen von xxx.*
specialise, -ize (intr.) (in)	sich spezialisieren (auf) 6
specify (tr. & intr.)	vorschreiben, festsetzen 10
speculate (intr.)	spekulieren 6
speed (intr.) {Prt. sped, PP sped}	rasen; (zu) schnell fahren UR
Can you speed it up?	*Können Sie es beschleunigen?*
spell (tr.) {Prt. spelled/spelt, PP spelled/spelt}	buchstabieren; bedeuten 1/UR
That spells disaster.	*Das beschwört eine Katastrophe herauf.*
spend (tr. & intr.) {Prt. spent, PP spent}	verbringen; ausgeben; verbrauchen UR
spill (tr. & intr.) {Prt. spilled/spilt, PP spilled/spilt}	vergießen, überlaufen 1/UR
spin (tr. & intr.) {Prt. spun, PP spun}	spinnen; sich drehen UR
She's spinning a good yarn.	*Sie ist eine gute Erzählerin.*
My head is spinning.	*Ich bin ganz durcheinander.*
spin-dry (tr.)	trockenschleudern 10
spit (tr. & intr.) {Prt. spat, PP spat}	(aus)spucken UR
spite (tr.)	jmdm. eins auswischen 6
splash (tr. & intr.)	(be)spritzen, plätschern 7
split (tr. & intr.) {Prt. split, PP split}	(sich) spalten, aufreißen UR
Let's split.	*Laß uns verschwinden/abhauen.*
He was splitting his sides.	*Er lachte sich kaputt/schief.*
spoil (tr. & intr.) {Prt. spoiled/spoilt, PP spoiled/spoilt}	verderben, beeinträchtigen; verwöhnen 1/UR

She was spoiling for an argument.	*Sie brannte auf einen Streit.*
spot (tr. & intr.)	beflecken; tüpfeln; (Regen) tröpfeln; entdecken, erspähen 8
I spotted a mistake.	*Ich habe einen Fehler gefunden/entdeckt.*
sprain (tr.)	verstauchen 1
spray (tr.)	(be)sprühen, zerstäuben 1
spread (tr. & intr.) {Prt. spread, PP spread}	(sich) ausbreiten, verbreiten; (be)streichen UR
spring (tr. & intr.) {Prt. sprang, PP sprung}	springen, hüpfen; quellen (aus), heraussprudeln; herkommen, stammen (von) UR
I'm sorry to spring this on you.	*Es tut mir leid, dich damit zu überfallen.*
sprinkle (tr.)	(be)sprenkeln, streuen 6
sprout (tr. & intr.)	sprießen (lassen) 1
spy (tr. & intr.)	erspähen; spionieren 10
I spy with my little eyes xxx.	*Ich sehe was, was du nicht siehst xxx.*
square (tr.)	viereckig machen; in Einklang bringen 6
squash (tr. & intr.)	niederschlagen, (sich) zerdrücken (lassen) 7
squat (intr.)	hocken 8
They are squatting in this house.	*Sie haben dieses Haus besetzt.*
squeal (intr.)	quieken, schreien 1
squeeze (tr. & intr.) (out)	(sich) quetschen, ausdrücken 6
squint (intr.)	schielen 1
stab (tr. & intr.)	(er)stechen 8
stabilise, -ize (tr. & intr.)	(sich) stabilisieren 6
staff (tr.)	(mit Personal) besetzen 1
stage (tr.)	inszenieren, aufführen 6
stagger (tr. & intr.)	taumeln; verblüffen; staffeln 1
stain (tr. & intr.)	(sich) beflecken 1
stake (tr.)	(mit einem Pfahl) durchbohren; abstecken 6
I staked (out) my claim.	*Ich habe meinen Anspruch geltend gemacht.*
She staked all her money on the wrong horse.	*Sie hat ihr ganzes Geld auf das falsche Pferd gesetzt.*
stall (tr. & intr.)	Zeit schinden; Motor abwürgen 1
stammer (tr. & intr.)	stottern 1

stamp (tr. & intr.)	stampfen; frankieren; stempeln 1
stand (tr. & intr.) {Prt. stood, PP stood}	stehen; stellen UR 52
I can't stand it any longer.	*Ich halt's nicht länger aus.*
I can't stand him.	*Ich kann ihn nicht ausstehen.*
He stands to gain a lot of money.	*Er wird wahrscheinlich eine Menge Geld gewinnen.*
I stand by my decision.	*Ich stehe zu meiner Entscheidung.*
(tr.) stands for (transitive).	*(tr.) bedeutet (transitiv).*
Can you stand in for me?	*Kannst du für mich einspringen?*
This painting stands out.	*Dieses Gemälde sticht hervor/fällt auf.*
Stand up for your rights.	*Setzt euch für eure Rechte ein.*
I can't stand up to her.	*Ich traue mich nicht, ihr zu widersprechen.*
standardise, -ize (tr.)	vereinheitlichen, standardisieren 6
staple (tr.)	heften, klammern 6
star (tr. & intr.)	in der Hauptrolle auftreten/ gezeigt werden 8
stare (intr.) (at)	anstarren 6
It stares you in the face.	*Es springt einem ins Auge.*
start (tr. & intr.)	anfangen; starten 1
He started at the sound of her voice.	*Ihre Stimme ließ ihn zusammenfahren.*
The engine started (up).	*Der Motor sprang an.*
startle (tr.)	erschrecken 6
starve (tr. & intr.)	(ver)hungern (lassen) 6
state (tr.)	angeben, vorbringen 6
stay (intr.)	bleiben 1
steady (tr. & intr.)	ruhig werden; beruhigen 10
steal (tr. & intr.) {Prt. stole, PP stolen}	rauben, stehlen UR
He stole away.	*Er hat sich davongestohlen.*
steam (tr. & intr.)	dampfen; dünsten 1
steel (tr. & refl.)	(sich) stählen, verhärten 1
steep (tr.)	eintauchen 1
steer (tr. & intr.)	steuern 1
stem (tr. & intr.) (from)	eindämmen; stammen (von) 8
step (tr. & intr.)	treten, schreiten 8
We must step up our efforts.	*Wir müssen uns stärker bemühen.*

stick (tr. & intr.) {Prt. stuck, PP stuck}
stechen, stecken; festkleben UR

It stuck in my mind.
Es blieb mir im Gedächtnis.

Can you stick it out?
Kannst du es durchhalten?

Stick to the point.
Bleib bei der Sache.

stiffen (tr. & intr.)
steif/hart werden/machen 1

sting (tr. & intr.) {Prt. stung, PP stung}
beißen, stechen; brennen UR

stink (tr. & intr.) {Prt. stank, PP stunk} (out)
stinken; verstänkern UR

stir (tr. & intr.)
(sich) rühren; sich bewegen 8

He was stirring it up.
Er hetzte alle auf.

stir-fry (tr.)
unter Rühren kurz braten 10

stitch (tr.)
nähen, sticken 7

He stitched her up.
Er hat sie auffliegen lassen.

stock (tr. & intr.) (up)
(Waren) führen, lagern 1

stone (tr.)
steinigen; entsteinen 6

He was stoned.
Er war stoned/bekifft.

stoop (intr.)
sich beugen, bücken 1

stop (tr. & intr.)
aufhören, haltmachen, stoppen 8

Stop!
Stehenbleiben!

We stopped off in Bournemouth.
Wir machten in Bournemouth halt/Rast.

We stopped over in Oxford.
Wir übernachteten in Oxford.

store (tr.)
lagern; (Daten) speichern 6

storm (tr. & intr.)
(er)stürmen 1

She stormed out of the room.
Sie stürzte aus dem Zimmer.

straighten (tr. & intr.)
gerademachen, begradigen; in Ordnung bringen 1

strain (tr. & intr.)
(sich) anstrengen; verstauchen 1

strangle (tr.)
(er)würgen; ersticken 6

strap (tr.)
festschnallen; mit einem Riemen schlagen 8

stray (intr.)
streunen; abirren (von), sich verlaufen 1

stream (tr. & intr.)
(aus)strömen, fluten 1

strengthen (tr. & intr.)
(ver)stärken; stärker werden 1

stress (tr.)
betonen, hervorheben 7

stretch (tr. & intr.)
(sich) (aus)strecken; sich hinziehen 7

I want to stretch my legs.
Ich will mir die Beine vertreten.

stride (intr.) {Prt. strode, PP stridden}
(entlang)schreiten UR

strike (tr. & intr.) {Prt. struck, PP struck}	schlagen; streiken UR
It strikes me as old-fashioned.	*Es kommt mir altmodisch vor.*
He struck a match.	*Er zündete ein Streichholz an.*
We've struck oil.	*Wir haben Öl gefunden.*
We've struck a deal.	*Wir haben uns geeinigt.*
They struck up a friendship.	*Sie haben sich angefreundet.*
string (tr.) {Prt. strung, PP strung}	binden, schnüren UR
They strung him up.	*Sie haben ihn aufgeknüpft.*
strip (tr. & intr.)	(sich) ausziehen, strippen; (eines Amtes/seiner Rechte) entkleiden 8
strive (intr.) {Prt. strove, PP striven} (for)	streben (nach) UR
stroke (tr.)	streicheln 6
stroll (intr.)	schlendern, bummeln 1
structure (tr.)	strukturieren, gliedern 6
struggle (intr.) (against/with)	kämpfen, sich bemühen 6
study (tr. & intr.)	studieren; genau betrachten 10
stuff (tr. & refl.)	(sich) (voll)stopfen 1
stumble (intr.)	stolpern 6
stupefy (tr.)	betäuben; verblüffen 10
style (tr.)	gestalten; frisieren 6
subject (tr.) (to)	unterwerfen, abhängig machen (von) 1
submit (tr. & intr.) (to)	unterwerfen, sich fügen 8
subscribe (tr. & intr.) (to)	gutheißen; abonnieren 6
subside (intr.)	sich senken, absacken; abklingen, abflauen 6
subsidise, -ize (tr.)	subventionieren 6
subtract (tr. & intr.)	abziehen, subtrahieren 1
succeed (tr. & intr.)	gelingen; nachfolgen 1
suck (tr. & intr.)	saugen, lutschen 1
suckle (tr.)	säugen, stillen 6
suffer (tr. & intr.) (from)	(er)leiden, leiden (an), ertragen 1
suffocate (tr. & intr.)	ersticken 6
sugar (tr.)	zuckern, versüßen 1
suggest (tr.)	vorschlagen 1
suit (tr. & intr.)	(an)passen, gefallen 1
Suit yourself.	*Mach, was du willst.*
sulk (intr.)	schmollen 1
sum (tr. & intr.) (up)	zusammenfassen, resümieren 8
summarise, -ize (tr. & intr.)	zusammenfassen 6

summon (tr.)	herbeirufen; vorladen 1
sunbathe (intr.)	sich sonnen 6
supervise (tr.)	beaufsichtigen, überwachen 6
supply (tr.)	liefern 10
support (tr.)	(unter)stützen, fördern; versorgen 1
suppose (tr.)	annehmen, denken 6
suppress (tr.)	unterdrücken, niederwerfen 7
surpass (tr.)	übertreffen 7
surprise (tr.)	überraschen 6
surrender (tr. & intr.)	aufgeben, sich ergeben 1
surround (tr.)	umgeben 1
survey (tr.)	überprüfen, begutachten; vermessen 1
survive (tr. & intr.)	überleben, länger leben als 6
suspect (tr.)	vermuten, argwöhnen; jmdn. verdächtigen 1
suspend (tr.)	aufhängen; aufheben, suspendieren; aufschieben 1
swallow (tr. & intr.)	schlucken 1
sway (tr. & intr.)	schwanken; beeinflussen 1
swear (tr. & intr.) {Prt. swore, PP sworn}	schwören, fluchen UR
sweat (tr. & intr.)	schwitzen 1
sweep (tr. & intr.) {Prt. swept, PP swept}	kehren, fegen UR
sweeten (tr. & intr.)	(ver)süßen; süßer werden 1
swell (tr. & intr.) {Prt. swelled, PP swollen}	(an)schwellen (lassen) UR
swim (tr. & intr.) {Prt. swam, PP swum}	(durch)schwimmen UR
swing (tr. & intr.) {Prt. swung, PP swung}	pendeln, schwingen UR
switch (tr. & intr.) (to)	schalten; sich umstellen (auf) 7
swot (tr. & intr.) (up)	büffeln, pauken 8
sympathise, -ize (intr.) (with)	mitfühlen, sympathisieren (mit) 6
synthesise, -ize (tr.)	zusammenfügen; künstlich herstellen 6

T

tackle (tr.)	anpacken; (Sport) angreifen 6
tailor (tr.)	schneidern 1
take (tr. & intr.) {Prt. took, PP taken}	nehmen UR 53

He took a bath/shower.	*Er hat gebadet/geduscht.*
She takes a photo.	*Sie fotografiert.*
You take after your dad.	*Du kommst nach deinem Vater.*
Take care of him.	*Kümmere dich um ihn.*
Take the dog for a walk.	*Führ den Hund spazieren.*
I was taken in.	*Ich war davon eingenommen.*
He took me into his confidence.	*Er hat sich mir anvertraut.*
She didn't take it into account.	*Sie hat es nicht berücksichtigt.*
The plane is ready to take off.	*Das Flugzeug ist zum Start bereit.*
Take off your clothes.	*Zieh dich aus.*
Please take off VAT.	*Bitte ziehen Sie die Mehrwertsteuer ab.*
I've taken on too much.	*Ich habe mir zuviel zugemutet.*
She took pity on him.	*Sie hat sich seiner angenommen.*
The opening took place yesterday.	*Die Eröffnung hat gestern stattgefunden.*
Please take turns with the computer.	*Bitte benutzt den Computer abwechselnd.*
talk (tr. & intr.)	reden, sprechen 1
They were always talking back.	*Sie gaben ständig freche Antworten.*
He had to talk the plane down.	*Er mußte das Flugzeug bei der Landung heruntersprechen.*
tame (tr.)	zähmen 6
tan (tr.)	(Haut) bräunen; (Leder) gerben 8
tangle (tr. & intr.) (up)	(sich) verwirren, verwickeln 6
tank (intr.) (up)	auf/volltanken 1
tap (tr. & intr.)	klopfen, pochen (an) 8
tap-dance (intr.)	steppen 6
tape (tr.)	(mit Band) umwickeln; auf Kassette aufnehmen 6
taper (tr. & intr.)	(sich) verjüngen, zuspitzen 1
taste (tr. & intr.) (of)	(ab)schmecken (nach); kosten, probieren 6
tax (tr.)	besteuern; stark beanspruchen 7
The book is taxing.	*Das Buch ist sehr anspruchsvoll.*
teach (tr. & intr.) {Prt. taught, PP taught}	(be)lehren, unterrichten UR 54

team (intr.) (up)	sich zusammentun 1
tear (tr. & intr.) {Prt. tore, PP torn}	(zer)reißen; rasen UR
I was tearing my hair out.	*Ich habe mir die Haare gerauft.*
tease (tr.)	necken, aufziehen 6
teem (intr.) (with)	wimmeln (von) 1
telephone (tr. & intr.) (for)	anrufen, telefonieren 6
tell (tr. & intr.) {Prt. told, PP told}	erzählen, berichten UR 55
He told a lie.	*Er hat gelogen.*
I can't tell the twins apart.	*Ich kann die Zwillinge nicht unterscheiden.*
How can you tell?	*Woher weißt du das?*
tempt (tr.)	(ver)locken, versuchen 1
tend (tr. & intr.)	sich kümmern um; dazu neigen, tendieren 1
tense (tr. & intr.)	(sich) anspannen, straffen; starr werden 6
term (tr.)	(be)nennen, bezeichnen 1
terrify (tr.)	erschrecken, entsetzen 10
terrorise, -ize (tr.)	terrorisieren 6
test (tr.)	(nach)prüfen, untersuchen 1
testify (tr. & intr.) (to)	(als Zeuge) aussagen, bezeugen 10
thank (tr.)	danken 1
thaw (tr. & intr.)	(auf)tauen, schmelzen 1
thicken (tr. & intr.)	verdicken; dick werden 1
thin (tr. & intr.) (down)	verdünnen; dünn werden 8
think (tr. & intr.) {Prt. thought, PP thought} (of)	denken (an), überlegen; (etw.) halten (von) UR 56
thrash (tr. & intr.)	(ver)dreschen, prügeln 7
thread (tr.)	einfädeln 1
threaten (tr. & intr.)	(be)drohen 1
thresh (tr.)	dreschen 7
thrive (intr.) {Prt. throve/thrived, PP thriven/thrived}	gedeihen UR/6
throttle (tr.)	(er)drosseln 6
throw (tr.) {Prt. threw, PP thrown}	werfen, schleudern UR
He threw two sixes.	*Er hat zwei Sechsen gewürfelt.*
She threw a party.	*Sie hat eine Party gegeben/geschmissen.*
I'll throw in a T-shirt.	*Ich gebe noch ein T-Shirt dazu.*
He managed to throw the police off.	*Er hat die Polizisten abgeschüttelt.*
She threw the door open.	*Sie riß die Tür auf.*

He drank so much he had to throw up.	*Er hat soviel getrunken, daß er sich übergeben mußte.*
thunder (tr. & intr.)	donnern; (gegen etw.) wettern 1
thwart (tr.)	vereiteln 1
tick (tr.) (off)	abhaken; ausschimpfen 1
The engine was ticking over.	*Der Motor lief im Leerlauf.*
tickle (tr. & intr.)	kitzeln 6
tidy (tr. & intr.) (up)	aufräumen, saubermachen 10
tie (tr.)	anbinden, festbinden 11
Tie up your shoelaces.	*Binde deine Schnürsenkel zu.*
He was tied up in the cellar.	*Er lag gefesselt im Keller.*
I'm tied up.	*Ich bin beschäftigt.*
I tried to tie him down.	*Ich habe versucht, ihn festzulegen.*
tighten (tr. & intr.)	anziehen, spannen 1
till (tr.)	(Boden) bebauen, bestellen 1
time (tr.)	Zeit messen, Zeitpunkt bestimmen, timen 6
tip (tr. & intr.) (over)	Trinkgeld geben; umkippen 8
tire (tr. & intr.)	ermüden, müde werden 6
toast (tr.)	(Brot) toasten; zutrinken, einen Toast ausbringen (auf) 1
tolerate (tr.)	(er)tragen, dulden 6
top (tr.)	ganz oben sein, krönen 8
They topped the charts.	*Sie standen auf Nummer Eins in der Hitparade.*
He topped himself.	*Er hat sich umgebracht.*
torment (tr.)	plagen, quälen 1
torture (tr.)	foltern 6
toss (tr. & intr.)	werfen, schleudern 7
At night he tossed and turned.	*Nachts warf er sich im Bett hin und her.*
totter (intr.)	schwanken, torkeln 1
touch (tr.)	berühren, anfassen 7
He was touched to tears.	*Er war zu Tränen gerührt*
She can't touch her.	*Sie kommt nicht an sie heran/kommt ihr nicht gleich.*
toughen (tr. & intr.) (up)	abhärten; abgehärtet werden 1
tow (tr.) (away)	(ab)schleppen 4
trace (tr.)	nachzeichnen; aufspüren 6
track (tr.)	nachspüren, verfolgen 1
trade (tr. & intr.) (in/for)	handeln; (aus)tauschen (gegen) 6
trail (tr. & intr.)	schleppen, nachschleifen 1

train (tr. & intr.) — (sich) ausbilden, trainieren, schulen 1
He trained the climber over the door. — *Er ließ die Kletterpflanze über die Tür wachsen.*
trample (tr. & intr.) — zertreten, herumtrampeln 6
transcribe (tr.) — übertragen, transkribieren 6
transfer (tr.) — übertragen; übergeben; verlegen 8
transform (tr.) — verwandeln 1
translate (tr. & intr.) — übersetzen; sich übersetzen lassen 6
transmit (tr. & intr.) — übertragen, senden 8
transport (tr.) — befördern, verfrachten 1
trap (tr.) — fangen, Fallen stellen; einschließen 8
travel (intr.) — reisen; sich bewegen 8
He was travelling without a ticket. — *Er fuhr schwarz.*
tread (tr. & intr.) {Prt. trod, PP trodden} — (be)treten UR
treat (tr. & intr.) — behandeln, umgehen mit; bewirten 1
tremble (intr.) — zittern 6
trick (tr.) — überlisten, austricksen 1
trickle (tr. & intr.) — rieseln (lassen), tröpfeln 6
trigger (tr.) (off) — auslösen 1
trim (tr.) — stutzen, schneiden 8
trip (tr. & intr.) (up) — stolpern; zum Stolpern bringen 8
trouble (tr.) — beunruhigen; belästigen 6
trust (tr.) — (ver)trauen 1
I trust you know. — *Ich nehme an, Sie wissen Bescheid.*
try (tr. & intr.) — versuchen, probieren 10
He was tried for theft. — *Er wurde wegen Diebstahls vor Gericht gestellt.*
You're trying my patience. — *Mir geht langsam die Geduld (mit dir) aus.*
She tried on a new dress. — *Sie hat ein neues Kleid anprobiert.*
tumble (intr.) — durcheinanderfallen, plumpsen 6
tumble-dry (tr.) — trockenschleudern 10
tune (tr. & intr.) (in) — stimmen; (Sender) einstellen 6
turn (tr. & intr.) — (sich) (um)drehen, wenden 1
She turned green in the face. — *Sie wurde grün im Gesicht.*
She turned his head. — *Sie hat ihm den Kopf verdreht.*

The leaves turn colour.	*Die Blätter verfärben sich.*
Turn right after the corner.	*Bieg nach der Ecke rechts ab.*
It turned my stomach.	*Mir wurde ganz schlecht davon.*
He was turned away/down.	*Er wurde abgewiesen.*
Let's turn back.	*Laß uns umkehren.*
The frog turned into a prince.	*Der Frosch verwandelte sich in einen Prinzen.*
The picture turns me off.	*Das Bild gefällt mir gar nicht.*
The story turned out quite long.	*Die Geschichte ist recht lang ausgefallen.*
He managed to turn the company round.	*Er hat die Firma wieder auf die Beine gestellt.*
She didn't turn up.	*Sie ist nicht gekommen.*
They turned me over to the police.	*Sie haben mich der Polizei ausgehändigt.*
twine (tr. & intr.)	(ver)flechten, (sich) ringeln 6
twist (tr. & intr.)	(sich) drehen, wickeln 1
twitch (intr.)	zucken 7
twitter (intr.)	zwitschern 1
type (tr. & intr.)	tippen 6

U

unblock (tr.)	Blockierung beseitigen, öffnen 1
unburden (tr. & refl.)	(sich) entlasten, erleichtern 1
unbutton (tr.)	aufknöpfen 1
uncouple (tr.)	trennen, ab/los/kuppeln 6
uncover (tr.)	aufdecken, enthüllen 1
underexpose (tr.)	unterbelichten 6
undergo (tr.) {Prt. underwent, PP undergone}	durchmachen UR
underlie (tr.) {Prt. underlay, PP underlain}	zugrunde liegen UR
underline (tr.)	unterstreichen 6
underrate (tr.)	unterschätzen 6
underscore (tr.)	unterstreichen, betonen 6
understand (tr.) {Prt. understood, PP understood}	(sich) verstehen; erfahren UR
undertake (tr.) {Prt. undertook, PP undertaken}	unternehmen; garantieren UR
underwrite (tr.) {Prt. underwrote, PP underwritten}	unterzeichnen; garantieren, bürgen (für) UR
undo (tr.) {Prt. undid, PP undone}	(auf)lösen, rückgängig machen UR

undress (tr. & intr.)	(sich) ausziehen 7
unearth (tr.)	ausgraben, ans Licht bringen 7
unfasten (tr. & intr.)	(sich) auf/losmachen, lockern 1
unite (tr. & intr.)	(sich) vereinigen, verbinden 6
unlearn (tr.)	vergessen; umlernen 1
unload (tr. & intr.)	abladen, entladen 1
unlock (tr.)	aufschließen 1
unmask (tr. & intr.)	(sich) demaskieren, bloßstellen 1
unpack (tr. & intr.)	auspacken 1
unscrew (tr. & intr.)	aufschrauben, sich aufdrehen 1
unsettle (tr.)	beunruhigen, verunsichern 6
untangle (tr.)	entwirren 6
untie (tr.)	aufknoten, losbinden 11
unveil (tr. & intr.)	(sich) enthüllen, den Schleier fallen lassen 1
update (tr.)	auf den neuesten Stand bringen 6
upgrade (tr.)	höher einstufen, verbessern 6
uphold (tr.) {Prt. upheld, PP upheld}	hochhalten; aufrecht erhalten; unterstützen UR
upset (tr. & intr.) {Prt. upset, PP upset}	umstoßen; bestürzen, verärgern UR
urge (tr.)	drängen, vorantreiben 6
use (tr.)	(be)nützen, (ge)brauchen 6
She used to work here.	*Sie hat früher hier gearbeitet.*
utilise, -ize (tr.)	(be)nutzen 6

V

vacate (tr.)	frei machen, räumen 6
vacuum (tr. & intr.)	staubsaugen 1
validate (tr.)	gültig machen; bestätigen 6
value (tr.)	(wert)schätzen 6
vandalise, -ize (tr.)	zerstören 6
vanish (intr.)	verschwinden 7
vaporise, -ize (tr. & intr.)	zerstäuben, verdampfen 6
varnish (tr.)	lackieren 7
vary (tr. & intr.)	variieren, (sich) verändern 10
veil (tr.)	verschleiern, verstecken 1
vent (tr.)	(Ärger) Luft machen 1
ventilate (tr.)	belüften 6
venture (tr. & intr.)	(sich) wagen, riskieren 6
verge (intr.) (on)	grenzen (an); (sich) nähern 6
verify (tr.)	überprüfen, verifizieren 10

vex (tr.)	quälen, belästigen 7
vibrate (tr. & intr.)	vibrieren (lassen) 6
video (tr.)	auf Video aufnehmen/filmen 1
vie (intr.) (with)	wetteifern, konkurrieren 11
view (tr.)	ansehen, betrachten, auffassen 1
visit (tr. & intr.)	besuchen; besichtigen 1
vomit (tr. & intr.)	(er)brechen, sich übergeben 4
vote (tr. & intr.) (on)	wählen, abstimmen (über) 6

W

wag (tr. & intr.)	wackeln, (mit dem Schwanz) wedeln 8
wail (tr. & intr.)	wehklagen, (be)jammern 1
wait (tr. & intr.) (for)	warten (auf), er/ab/warten 1
He waited on her.	*Er bediente sie.*
wake (tr. & intr.) {Prt. woke, PP woken} (up)	wecken; aufwachen UR
walk (tr. & intr.)	wandern 1
She walks the dog.	*Sie geht mit dem Hund Gassi.*
wallpaper (tr. & intr.)	tapezieren 1
wander (tr. & intr.)	durchstreifen, wandern 1
My mind was wandering.	*Ich war mit den Gedanken woanders.*
want (tr. & intr.) (for)	wünschen, wollen; mangeln (an) 1
warm (tr. & intr.) (to)	(er)wärmen, sich erwärmen (für) 1
warn (tr. & intr.) (of)	warnen; aufmerksam machen 1
wash (tr. & intr.)	(sich) waschen 7
waste (tr. & intr.)	verschwenden; schwinden 6
She was wasting away.	*Sie siechte dahin.*
watch (tr. & intr.)	beobachten, zuschauen, zusehen 7
Watch out.	*Paß auf.*
water (tr. & intr.)	(be)wässern, gießen 1
wave (tr. & intr.)	winken, schwenken 6
weaken (tr. & intr.)	schwächer werden/machen 1
wear (tr. & intr.) {Prt. wore, PP worn}	tragen; sich halten UR
You'll wear it out.	*Du wirst es abtragen.*
I'm worn out.	*Ich bin erschöpft.*
My patience is wearing thin.	*Mir geht langsam die Geduld aus.*
weather (tr. & intr.)	überstehen; verwittern 1

weave (tr. & intr.) {Prt. wove, PP woven}	weben; sich schlängeln UR
wed (tr. & intr.)	(sich) (ver)heiraten 8
wedge (tr.)	einkeilen 6
weed (tr. & intr.)	jäten 1
weep (tr. & intr.) {Prt. wept, PP wept}	weinen, Tränen vergießen UR
weigh (tr. & intr.)	(ab)wägen, wiegen 1
welcome (tr.)	begrüßen, willkommen heißen 6
weld (tr. & intr.)	(sich) schweißen (lassen) 1
well (intr.) (up)	(auf)quellen 1
wet (tr.)	nässen, befeuchten 8
wheel (tr.)	rollen 1
wheel-clamp (tr.)	Parkriegel anlegen 1
whip (tr. & intr.) (up)	(auf)peitschen 8
whisper (tr. & intr.)	flüstern 1
whistle (tr. & intr.)	pfeifen 6
whizz (intr.)	schwirren 7
widen (tr. & intr.)	breiter machen/werden 1
will (mod. HV, tr. & intr.) {Prt. would}	werden; wollen; zwingen UR *zur Bildung vom Futur, in Fragen, Absicht, Betonung usw.*
wilt (intr.)	(ver)welken 1
win (tr. & intr.) {Prt. won, PP won}	gewinnen UR
wind (tr. & intr.) {Prt. wound, PP wound}	(sich) winden, spulen UR
Don't wind me up.	*Nimm mich nicht auf den Arm/Verärger mich nicht!*
wink (tr. & intr.)	blinzeln, zwinkern 1
wipe (tr.)	wischen, abtrocknen 6
The army was wiped out.	*Die Armee war vernichtet.*
wish (tr. & intr.) (for)	(sich) wünschen 7
withdraw (tr. & intr.) {Prt. withdrew, PP withdrawn} (from)	(sich) zurückziehen; wegnehmen; entfernen UR
witness (tr. & intr.)	(be)zeugen 7
wonder (intr.)	(sich) wundern, (sich) fragen 1
word-process (tr. & intr.)	mit Textverarbeitung erstellen 7
work (tr. & intr.)	arbeiten, wirken 1
It works.	*Es funktioniert.*
He worked the horse too hard.	*Er hat das Pferd zu sehr angetrieben.*
Can you work out the answer?	*Kannst du die Lösung ausrechnen?*

It didn't work out.	*Es hat nicht geklappt.*
worry (tr. & intr.)	(sich) sorgen, beunruhigen 10
worsen (tr. & intr.)	(sich) verschlechtern 1
worship (tr. & intr.)	anbeten, verehren 8
would (mod. HV) {Prt. *von* will}	würde; *zur Bildung des Konditional*
I would like xxx	*Ich hätte gern xxx*
I would rather xxx	*Ich würde lieber xxx*
wound (tr.)	verwunden, verletzen 1
wrap (tr. & intr.) (up)	ein/ver/packen; (sich) einhüllen 8
wreck (tr.)	zunichte machen; zerstören 1
wrestle (tr. & intr.)	ringen 6
wring (tr.) {Prt. wrung, PP wrung}	(aus)wringen; (Hände) ringen UR
wrinkle (tr. & intr.)	runzeln, in Falten legen 6
write (tr. & intr.) {Prt. wrote, PP written}	schreiben UR
That's nothing to write home about.	*Das ist nichts Besonderes.*
She wrote the car off.	*Das Auto hatte Vollschaden.*
He wrote off his expenses.	*Er hat seine Spesen abgeschrieben.*
write out	*ausschreiben*
The book was written up.	*Das Buch wurde besprochen.*
wrong (tr.)	jmdm. Unrecht tun 1

X

X-ray (tr.)	röntgen, durchleuchten 1
xerox (tr.)	fotokopieren 7

Y

yap (intr.)	kläffen 8
yawn (tr. & intr.)	gähnen, gähnend sagen 1
yearn (intr.) (for)	sich sehnen (nach) 1
yell (tr. & intr.) (at)	schreien 1
yield (tr. & intr.) (to)	(Ernte) Ertrag liefern, ergeben; nachgeben 1

Z

zap (tr.)	(Computer) löschen; abknallen, kaputtmachen 8
zip (tr. & intr.) (up)	zischen, schwirren; mit Reißverschluß schließen 8
zoom (tr. & intr.) (in/out)	surren; (Fotografie) zoomen 1